Till Angelica

Liv utan liv.
Anders Schönborg

Han dödar min familj om jag berättar

Han är min barnvakt
                    I fyra år

            Jag är bara sju första gången
            Jag är elva när det är över

            Då får jag en örfil

            Jag är ett elakt barn

Lyssna nu Angelica
säger läkaren

du dör snart
det är slut nu med behandlingar
din kropp klarar inte mer

Angelica kvider

"Jag vill inte dö"

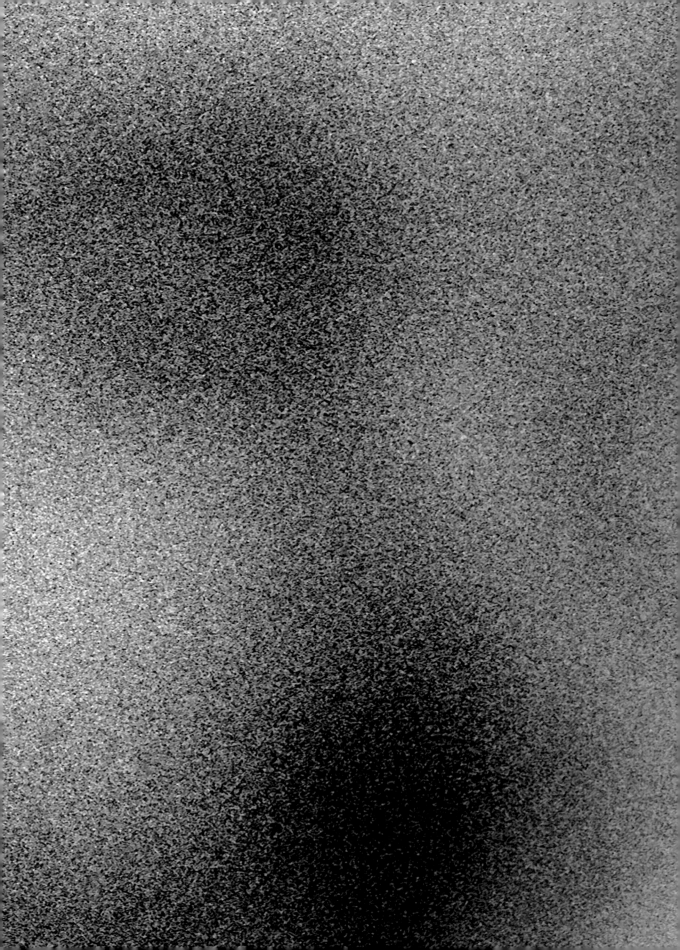

En okänd man

försöker våldta Angelica

på Grimman – natthärbärget

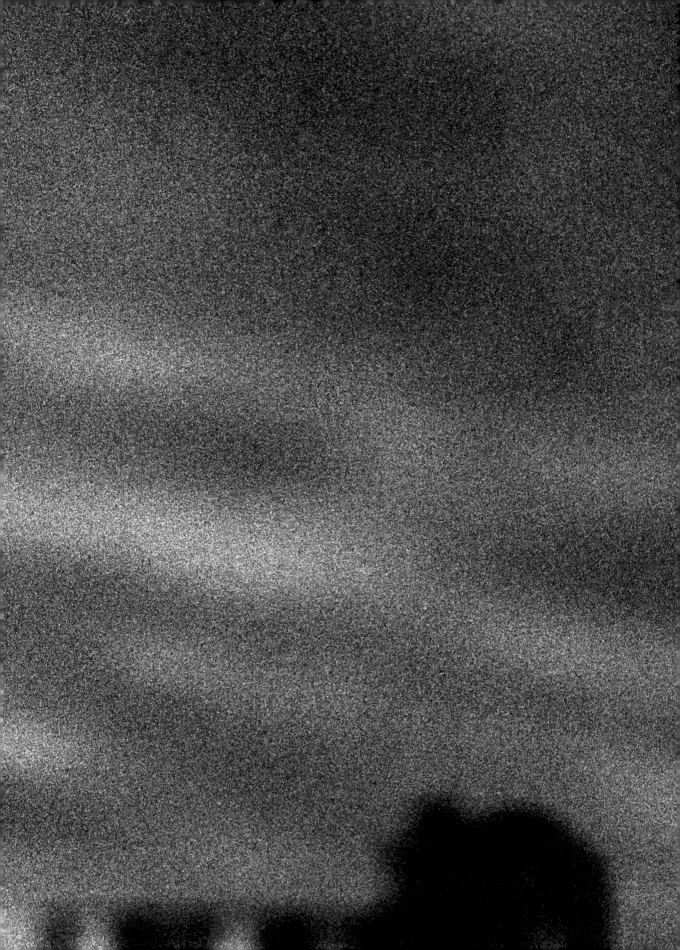

När Angelica är åtta
      försvinner hon ibland
      skolkar från skolan
      dras till missbrukare

      röker

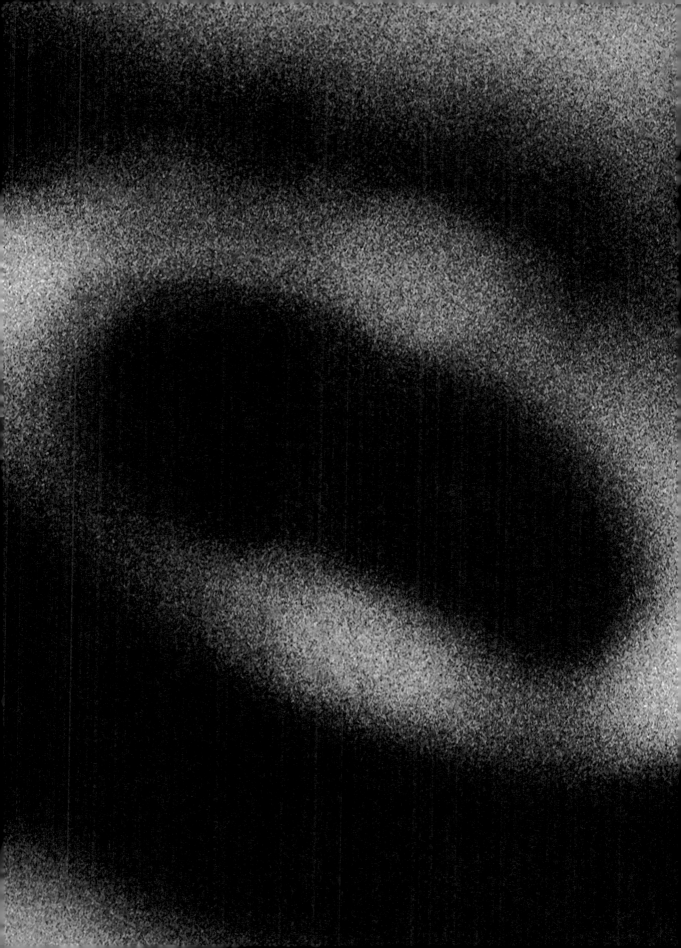

Angelica ger kramar till tröst åt andra

Högdalen
　　　　　torget vid kyrkan
　　　　　sommar
　　　　　vackert väder
　　　　　lätt duggregn
　　　　　nyss utbetalda bidrag och pensioner
　　　　　öl och vodka

　　　　　　　　　　　　　Angelica omgiven av många män

　　　　　　　　　　　　　skyddad av Raymond

　　　　　som slår först
　　　　　　　　　　　och hårt

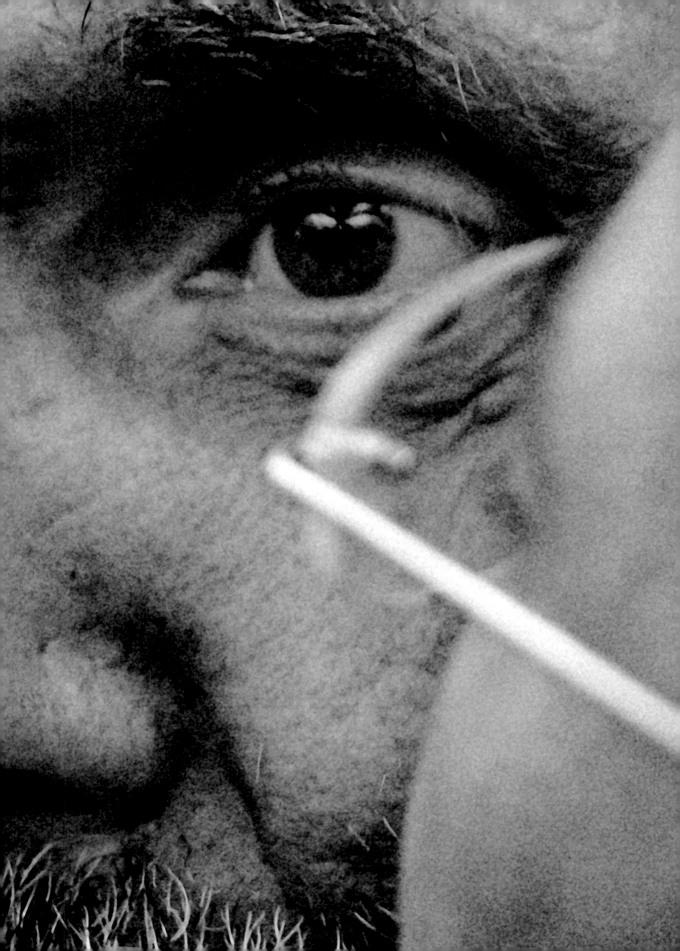

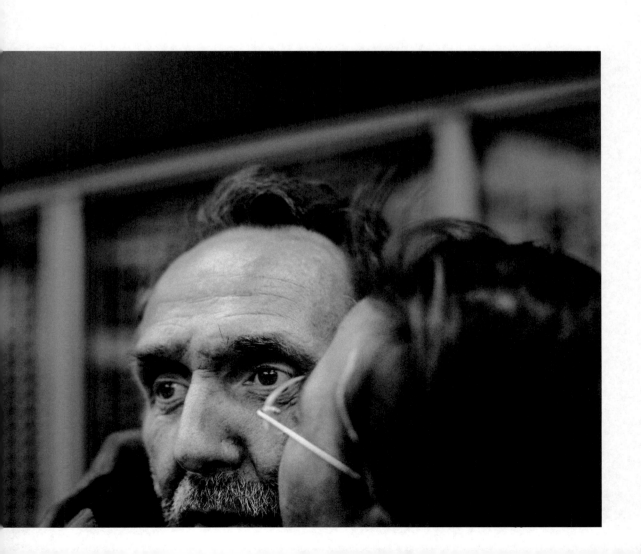

Angelica flyttar in
på Koppargården
i Råcksta

Raymond
mannen hon är gift med
får inte bo där

men man gör ett undantag

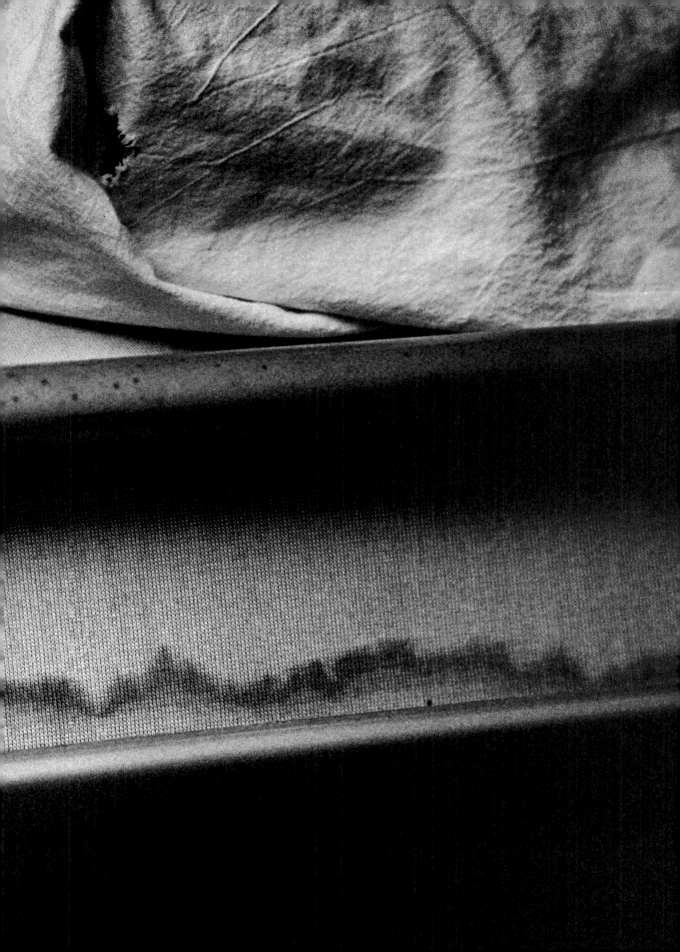

Angelica får

        rum och mat
        sjukvård
        medicin
        1400 kronor i månaden

    ibland

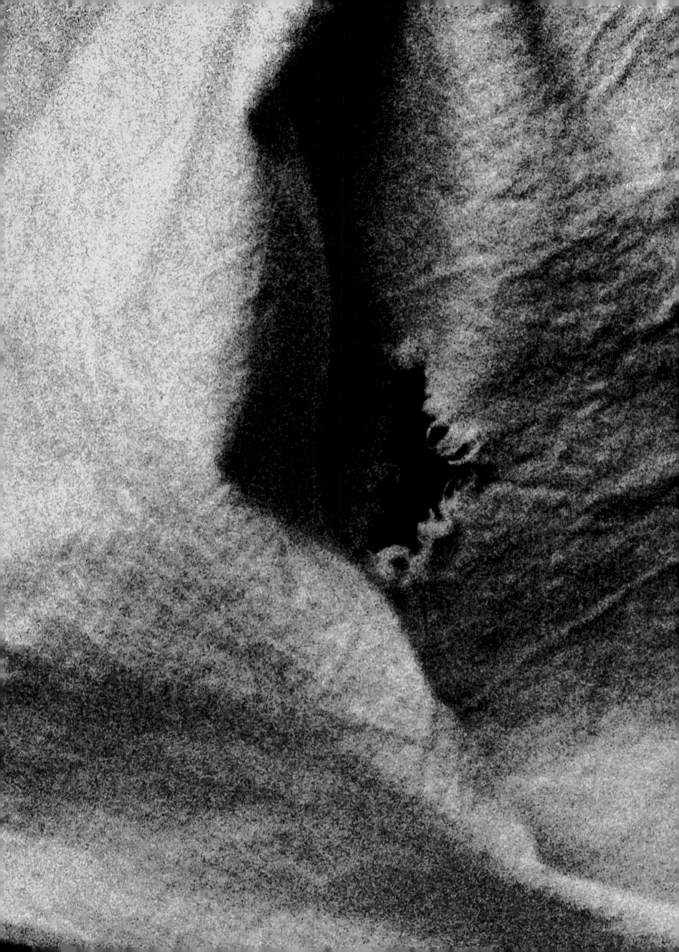

Angelica 37

kirurgi
strålning
cellgifter

Riskkapitalet
driver boendet

                                        staden betalar

        sovrum
        rum med pentry
        toa med dusch

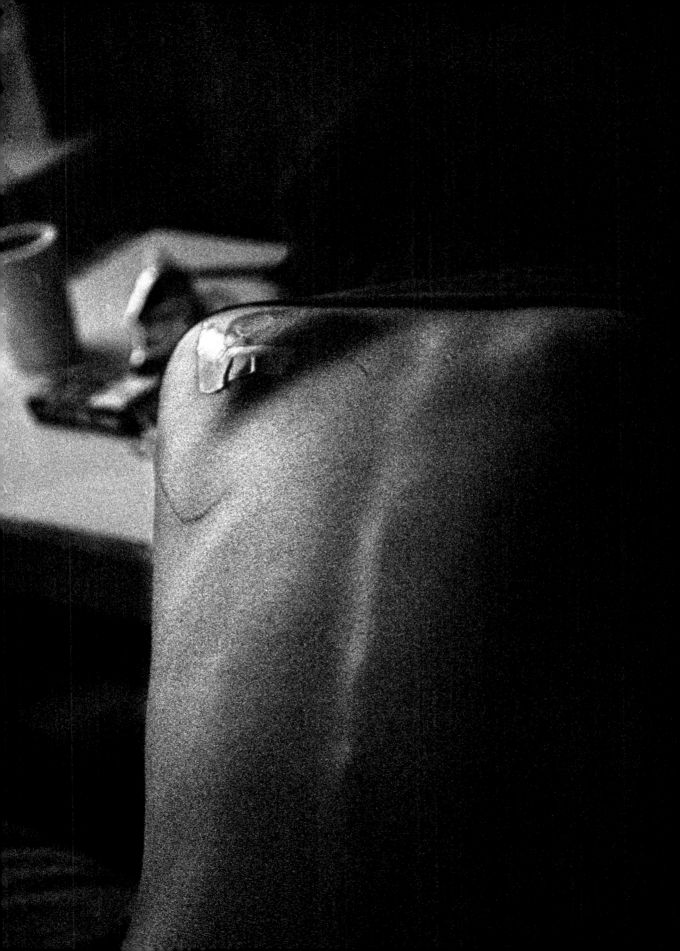

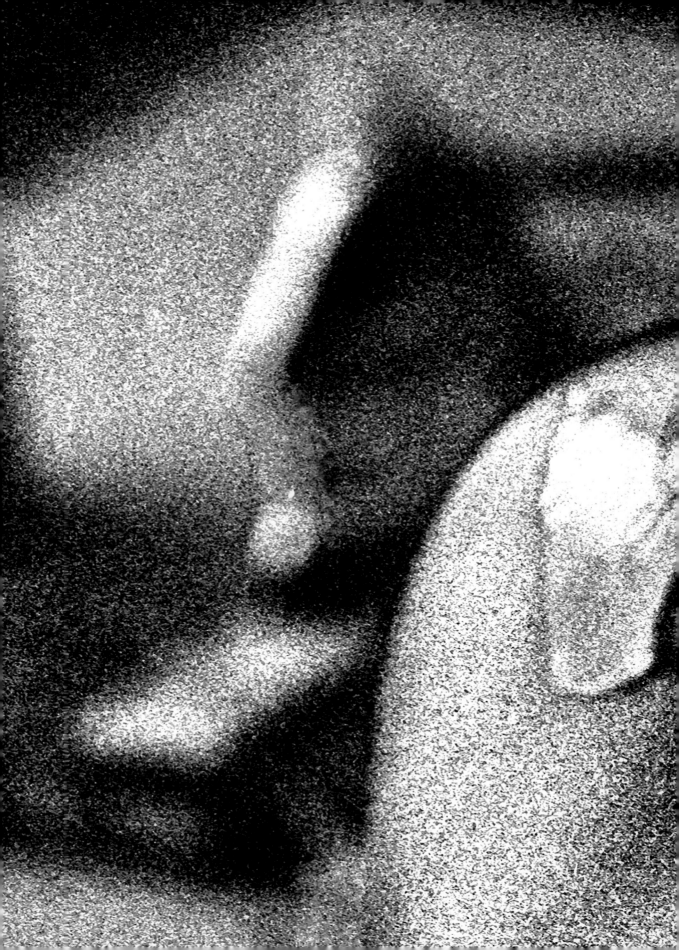

Raymond
        gör allt för sin Angelica

Raymond säger ofta
        med värme i rösten

                      "Jag älskar Angelica"

        skriver i kalendern
        med rött bläck

                      "Jag vill krama min fru
                      – hela dagen"

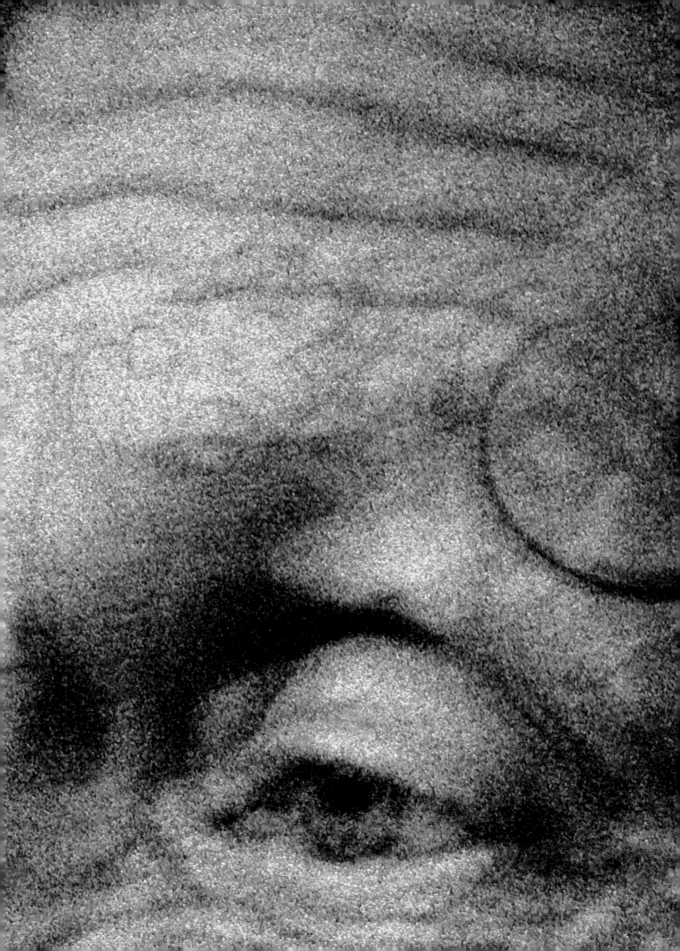

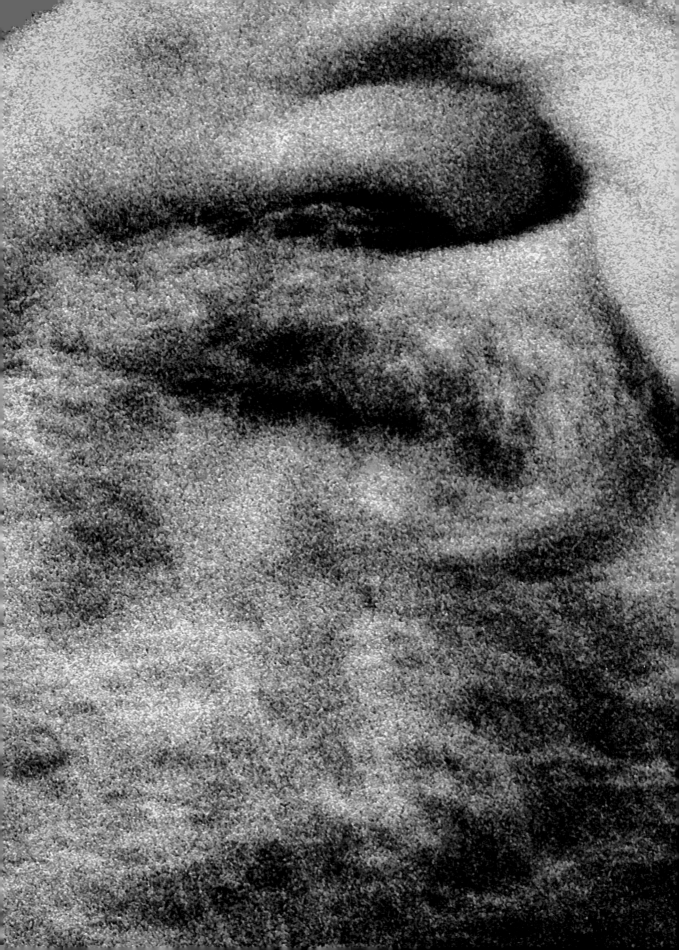

Angelica kan inte dricka

häller i munnen
läpparna läcker

det rinner på kläderna

alltid fläckar
fläckar som kväljer

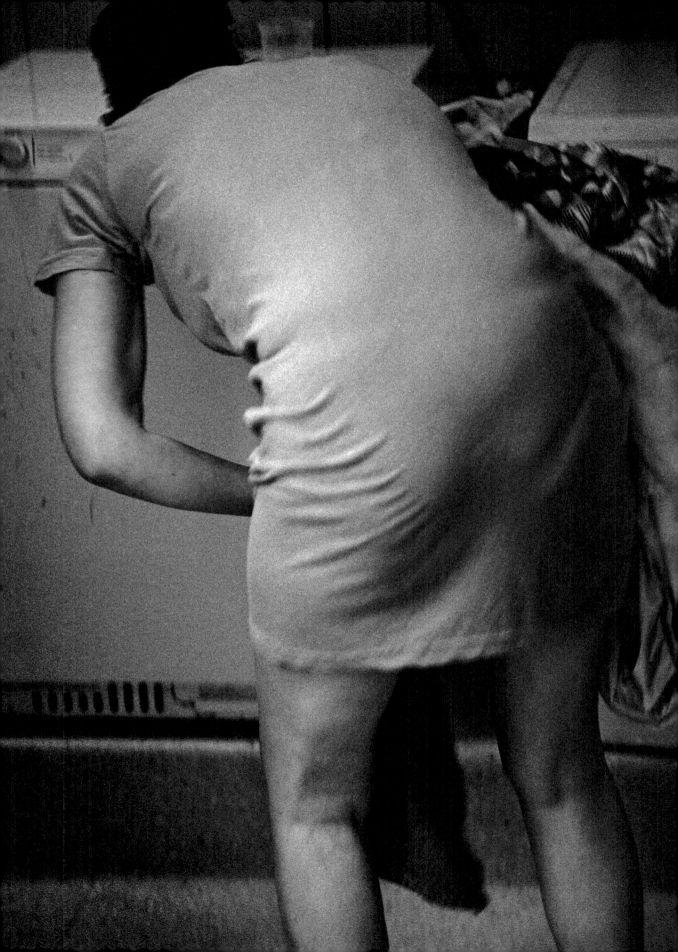

Angelica kvider

"Jag vill inte dö"

212

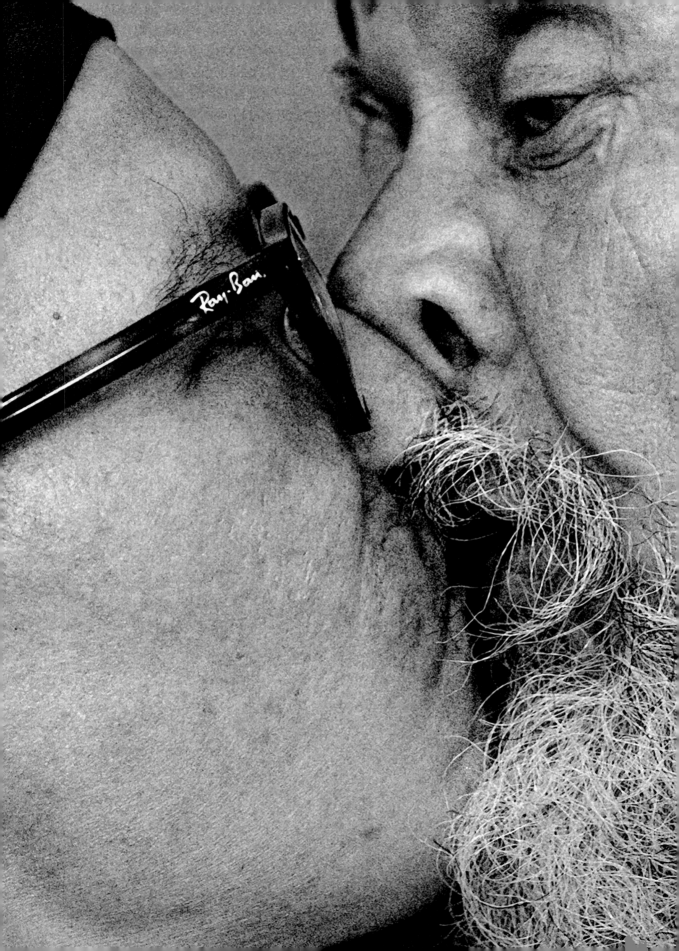

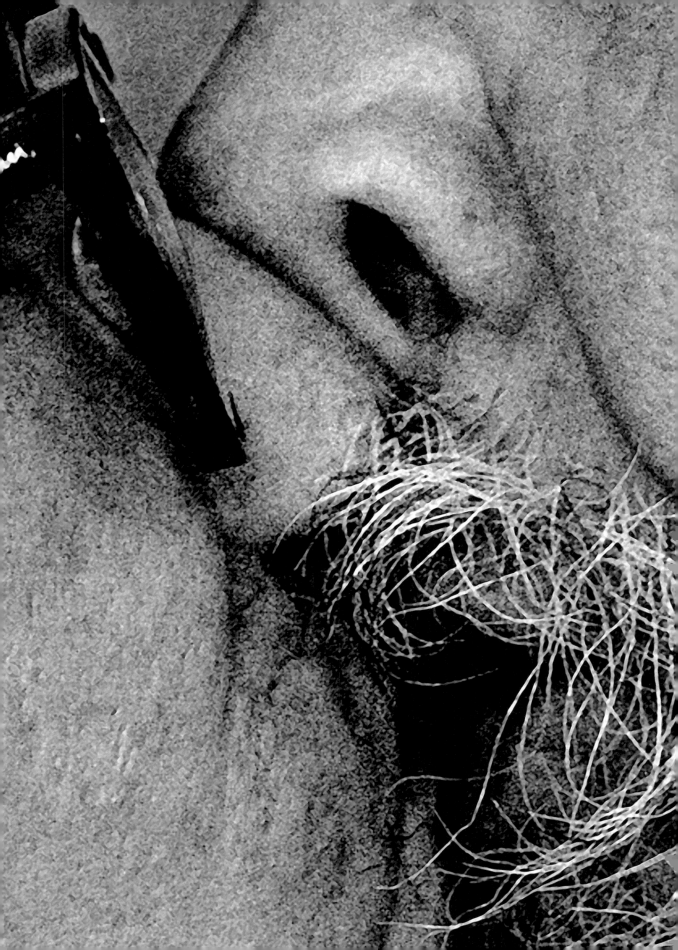

Angelica är lycklig
        hon är faster nu

        till en flicka

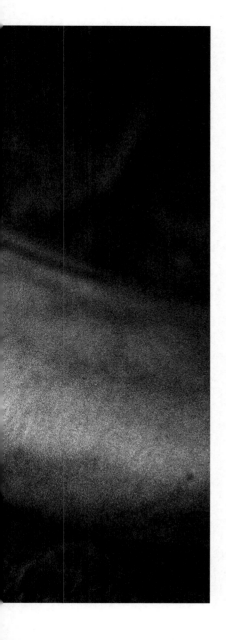

Angelica och Raymond
      går varandra på nerverna

      sängarna tätt
      fyller nästan rummet

      Angelica vill skiljas

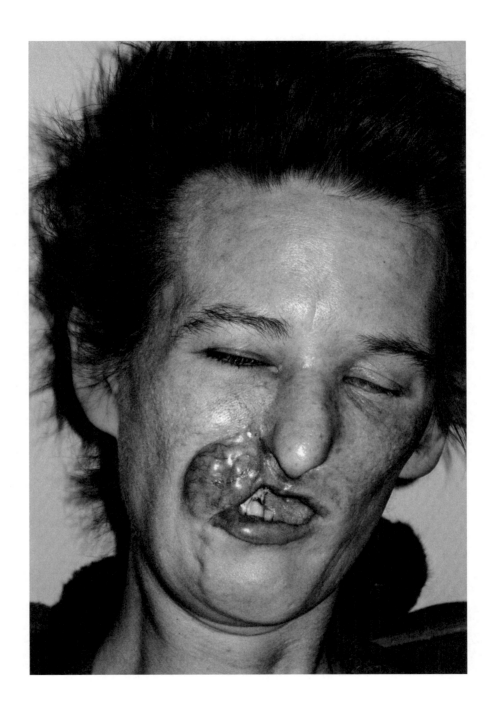

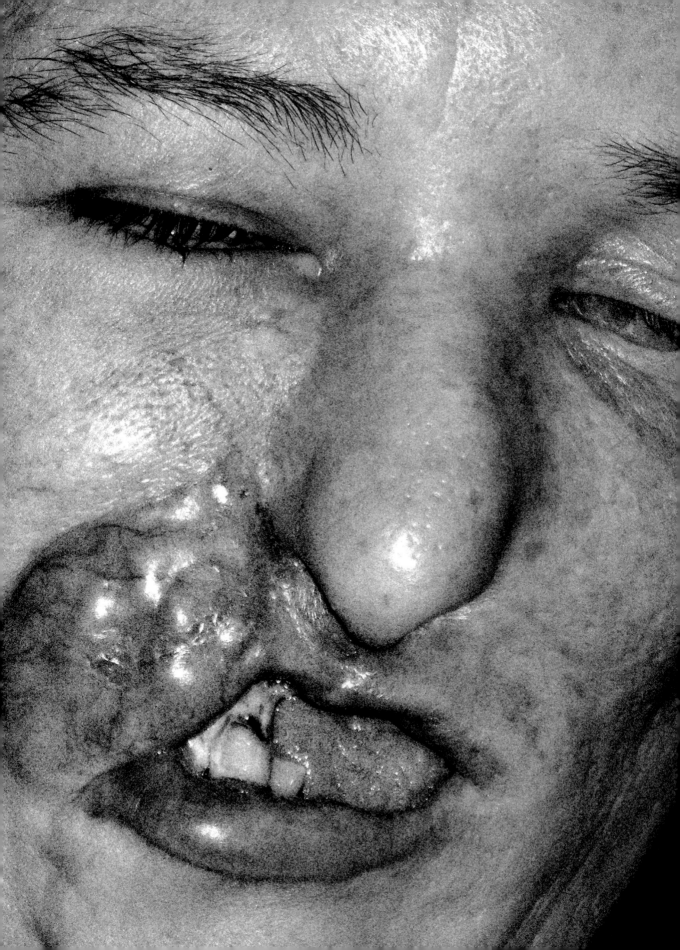

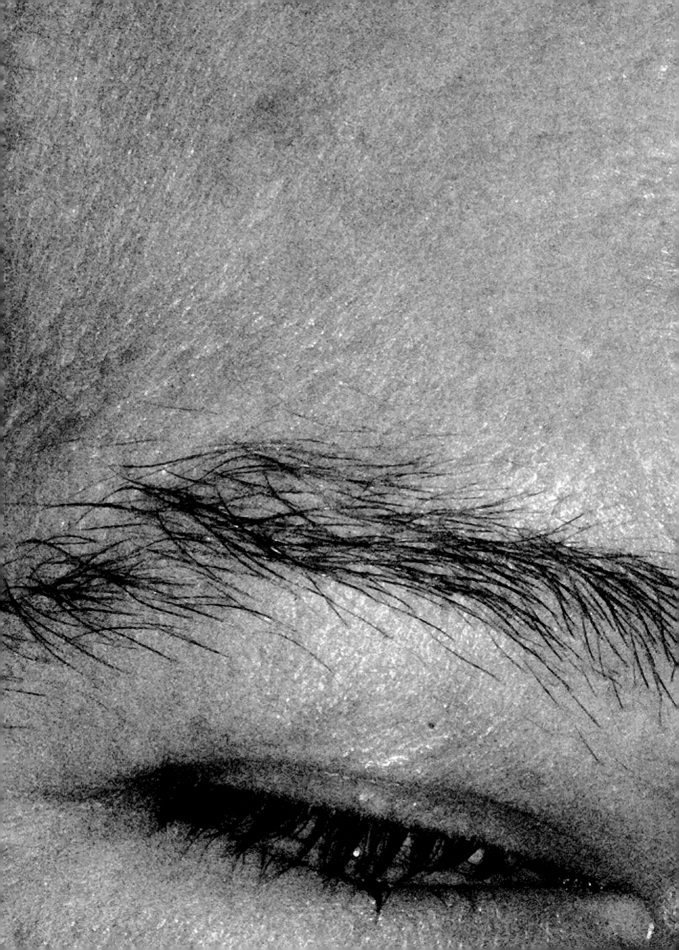

Gommen ett hål
saknar tänder
blind på ett öga
överläppen halv
tumör på kinden
invid näsan

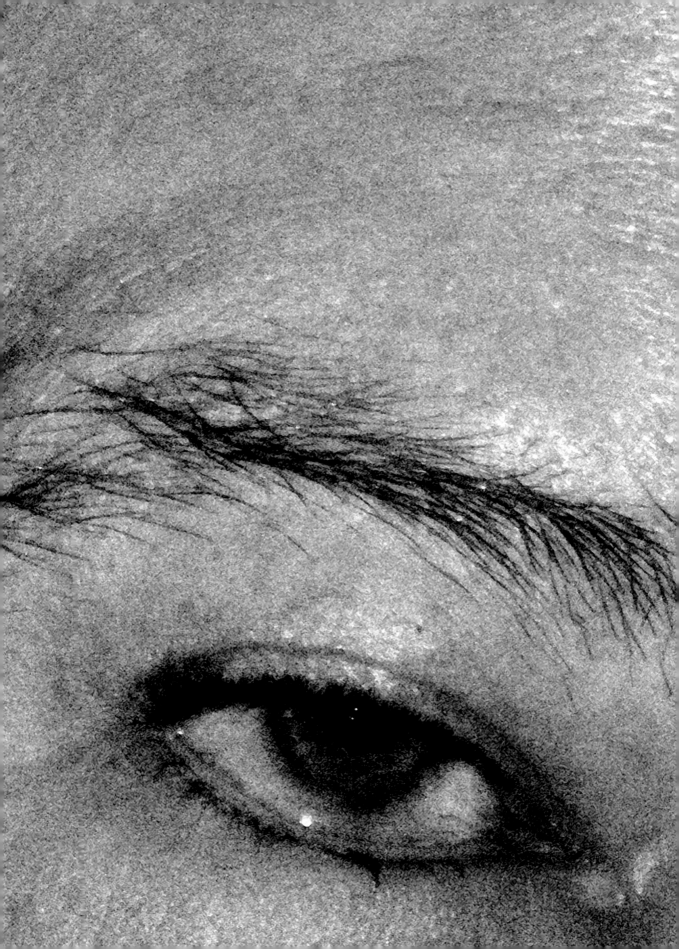

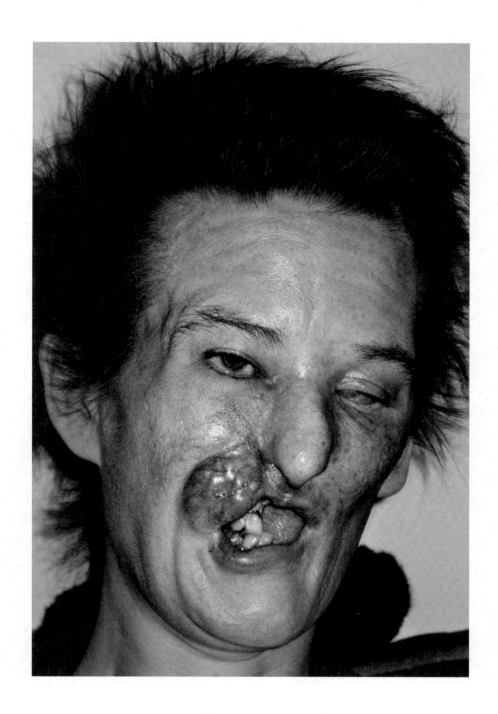

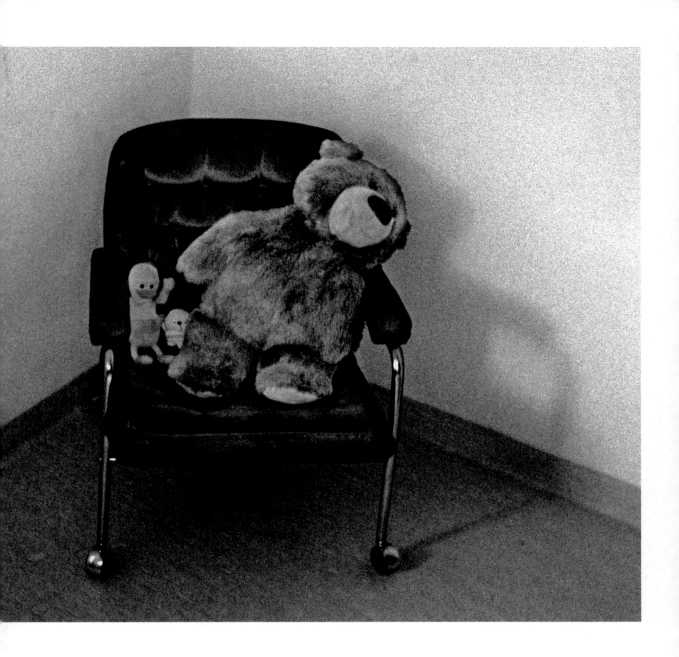

Ingen förstår
när talet förvrängs

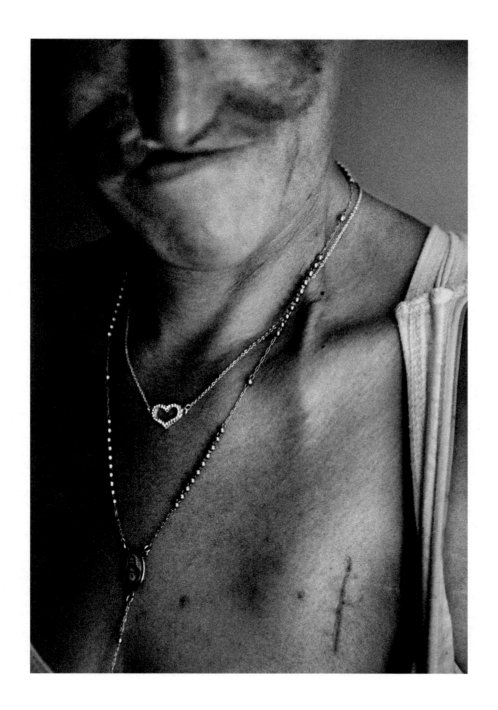

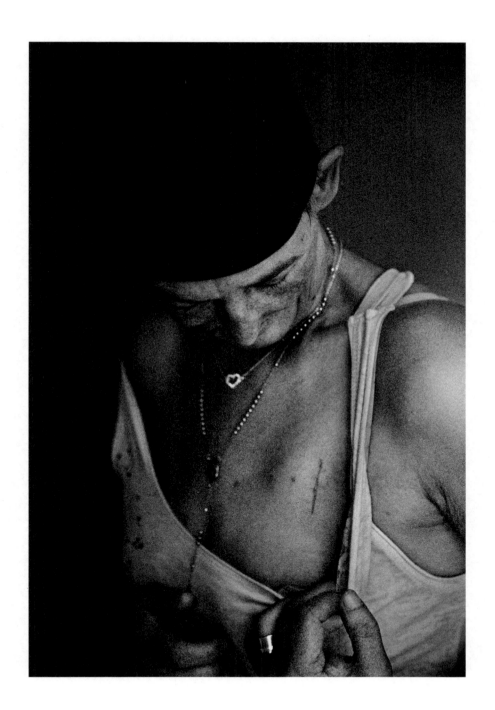

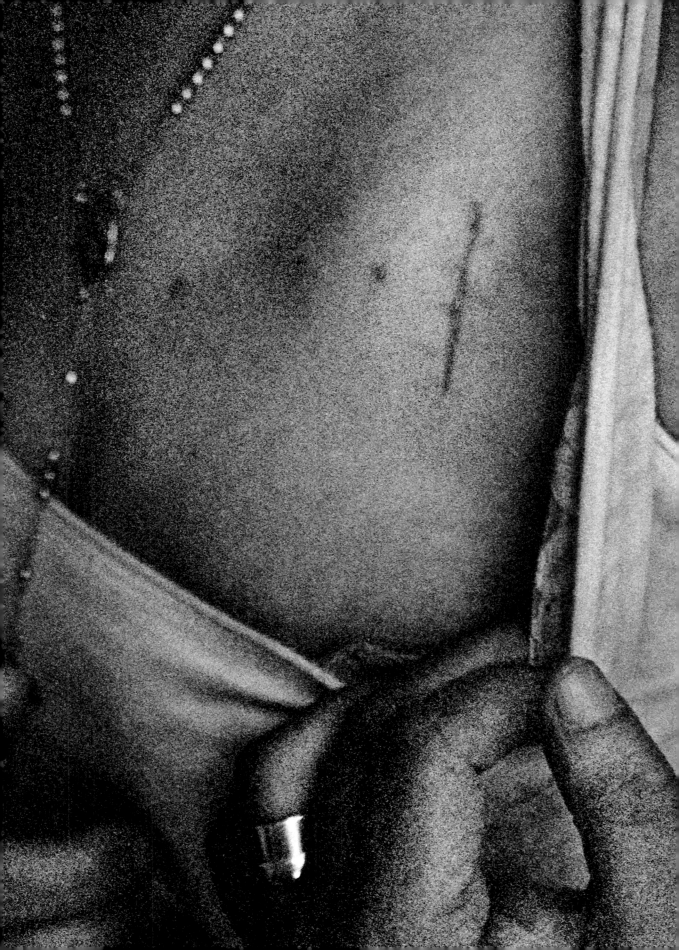

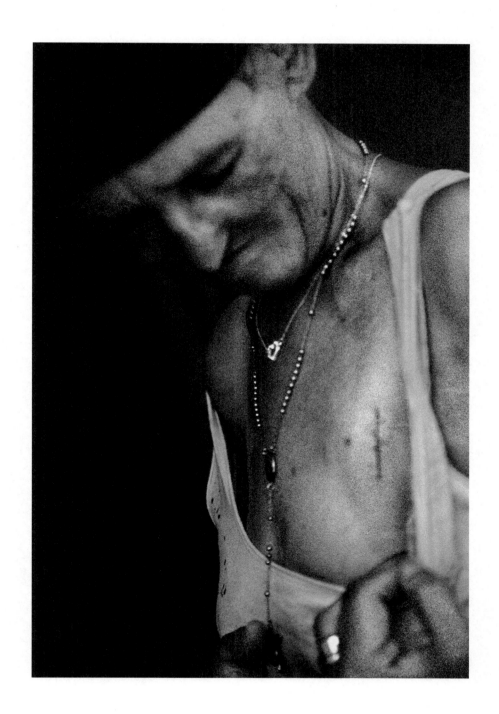

En nyss påbörjad behandling ställs in
Angelica har svamp i munnen
hon får recept på medicin

                                      men är utan pengar

samhället vägrar betala med motiveringen

                "Angelica måste visa prov på god vilja"

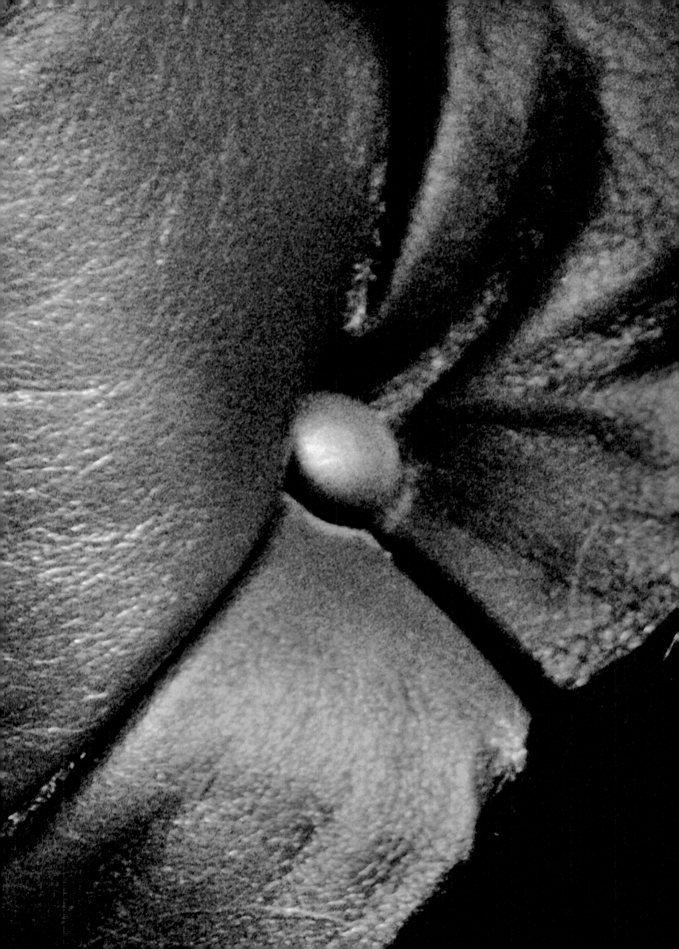

Angelica i sängen

    klipper bilder
    klistrar collage

    vill inte gå ut
    "Dom glor så förbannat"

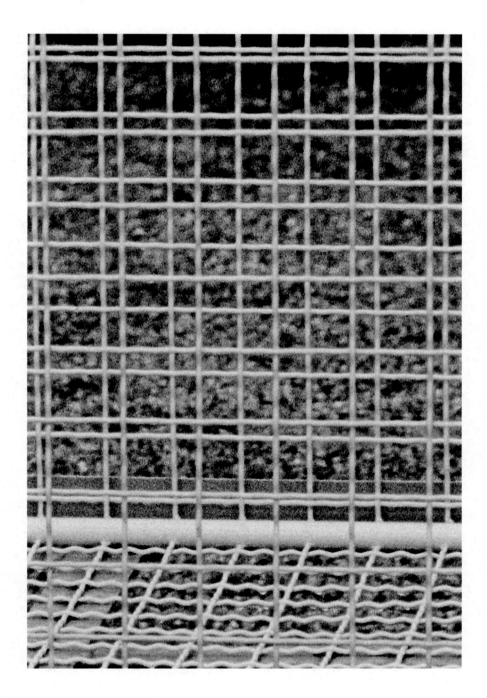

PINGST!
AFTON!
Världshavens dag

TILL SKATTEMYNT

Tisdag Svante, Boris
PENGAR

Onsdag Bertil, Berthold
TILL SÖS KL 8.30

Torsdag Eskil

Fredag Aina, Aino

Lördag Håkan, Hakon

Söndag Margit, Margot

Måndag Axel, Axelina
Jordgubbslistan
på krav.se
RAYMOND TEL

Tisdag Torborg, Torvald
SÖS LÄKAREN KL 9.30

Onsdag Internationella picknickdagen Björn, Bjarne
PICKNICKDAGEN PENGAR SÖ

Torsdag Germund, Görel
SÖS AVD 22 SKATTA

Fredag 20 Midsommarafton Linda
MIDSOMMAR AFTON

Lördag 21 Midsommardagen Alf, Alvar

Söndag Paulina, Paula
Hela dagarna

Måndag Adolf, Alice

Tisdag Johannes döparens dag

Onsdag David, Salomon
PENGAR

Torsdag Rakel, Lea
SÖS AVD 26 KL 13.3

Fredag Selma, Fingal

Lördag Leo

Söndag Peter, Petra

Måndag

CHETERNA TAMED ID

NMÖTE KL 14.00
TAXI KL 9.00 8.50
SKA OPERATION KL 7.30
LYGTTER!
ill krama mig hur

om man kur hur
dymen

Angelica och Raymond
saknar tänder
mat som måste tuggas
lämnas orörd

Angelica
nästan alltid utan pengar

plockar burkar i sin ryggsäck
plockar fimpar i plastpåse

fimparna smulas
fingrarna svärtas

rullar nu nya
tänder
tar några bloss
hostar
kräks

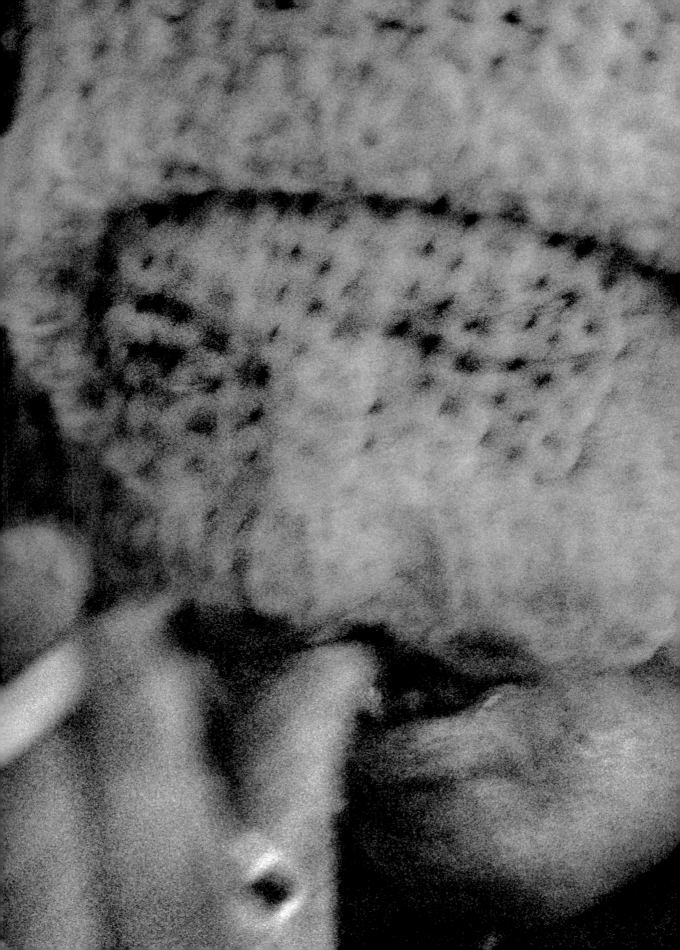

Asbest på Koppargården
                    på få timmar skall alla utrymma

                    "Kom tillbaka inom en vecka"
                    "Ta bara med er för några dagar"

Angelica och Raymond har skaffat egna möbler
Egna mattor soffa fåtölj bord tavlor blommor

                    Raymond har sytt gardiner

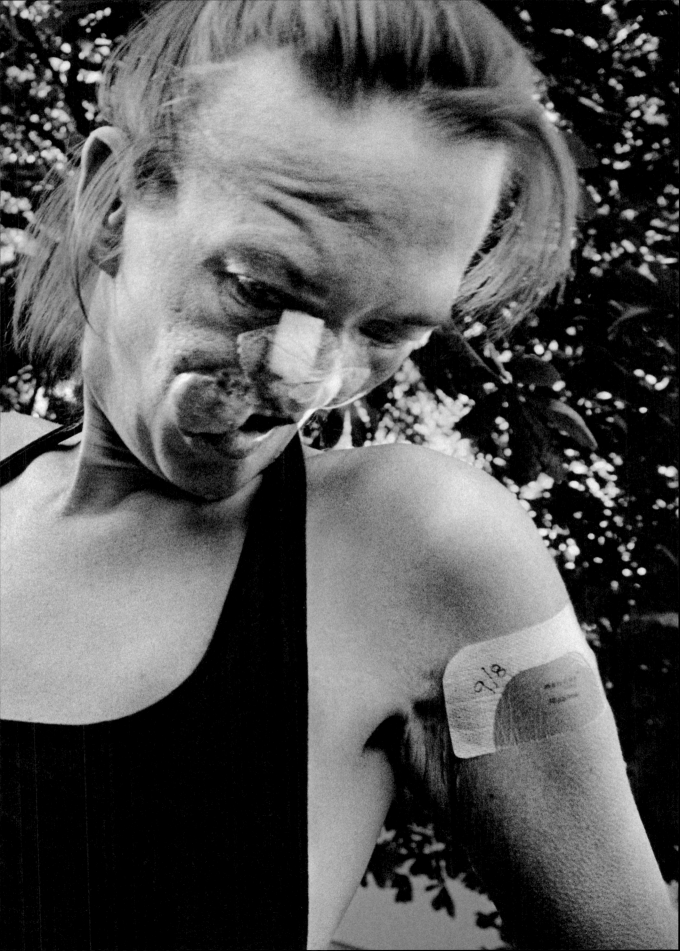

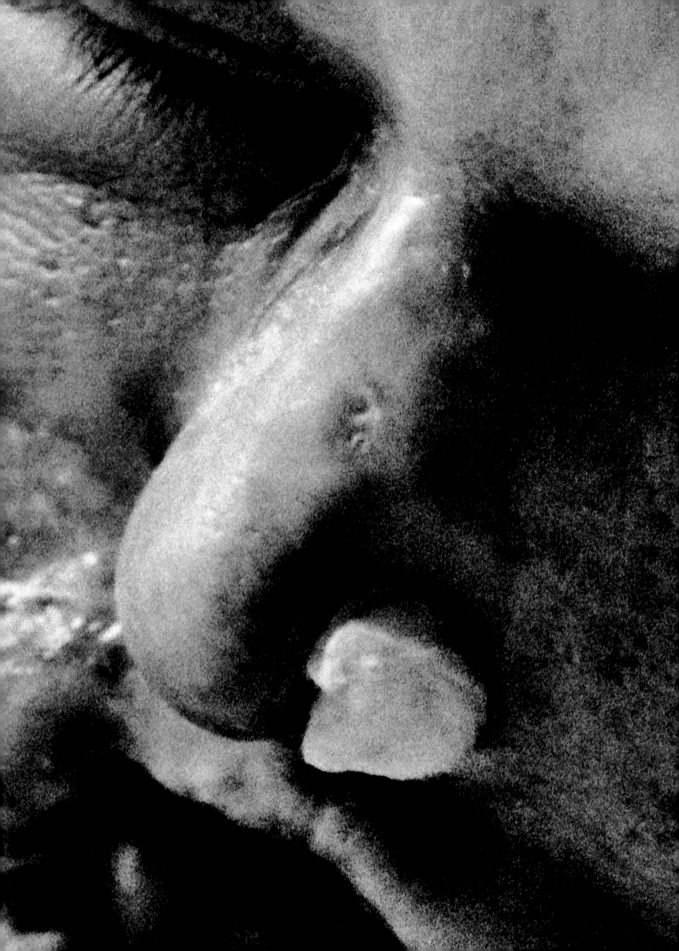

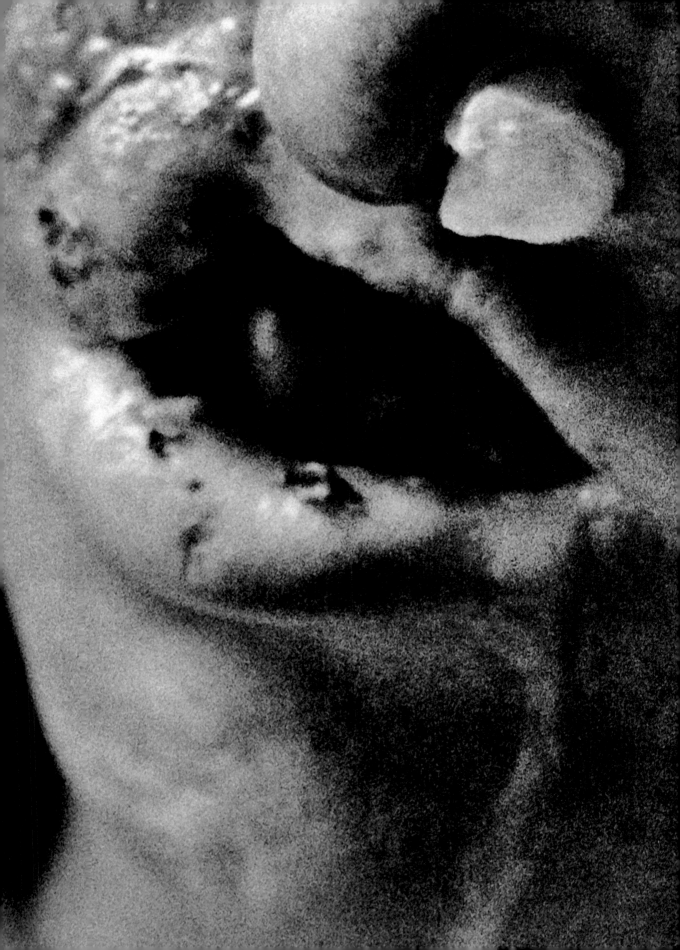

Angelica flyttas till
Stockholms Sjukhem
palliativa avdelningen

     hon vill inte leva bland döende

          Raymond får inte bo där
    han gör det ändå

    erbjuds ingen mat
         äter Hot Dogs
         direkt ur paketet

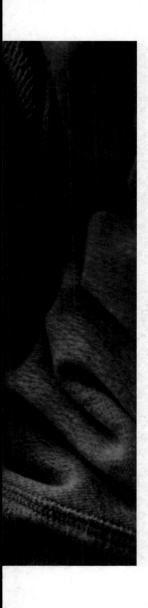

Veckorna går

                  inga besked
                  inga tillhörigheter

    bara utslagna
    bara tandlösa
          kan behandlas så
    bara ofarliga
    bara försvarslösa

Båda får flytta igen
          till Skarpnäck
          till Herrgården

      till Riskkapitalet igen

                              där bor andra
från Koppargården

                              men bara tillfälligt

Efter tre veckor
meddelar Riskkapitalet

"Ingen får återvända till Koppargården"

Riskkapitalet vill bränna
allt som i all hast lämnats på Koppargården
Stockholms Stad säger nej
dåligt märkta kartonger
med mindre skrymmande tillhörigheter
flyttas till förråd i Skarpnäck

Soffor mattor tavlor bord
stolar lampor fåtöljer
lämnas kvar på Koppargården
få finner sina ägodelar
i ett hav av kartonger

Angelica och Raymond
kräver Riskkapitalet
på ersättning
för tillhörigheter som försvann

                                        Riskkapitalet förhalar

        vill ha utförligare information
        mer detaljer – noggrann specifikation

        "Det är inte vårt ansvar"
        "Stockholms stad är ansvarig"

        "Stockholms stad kommer att göra en rimlighetsbedömning"

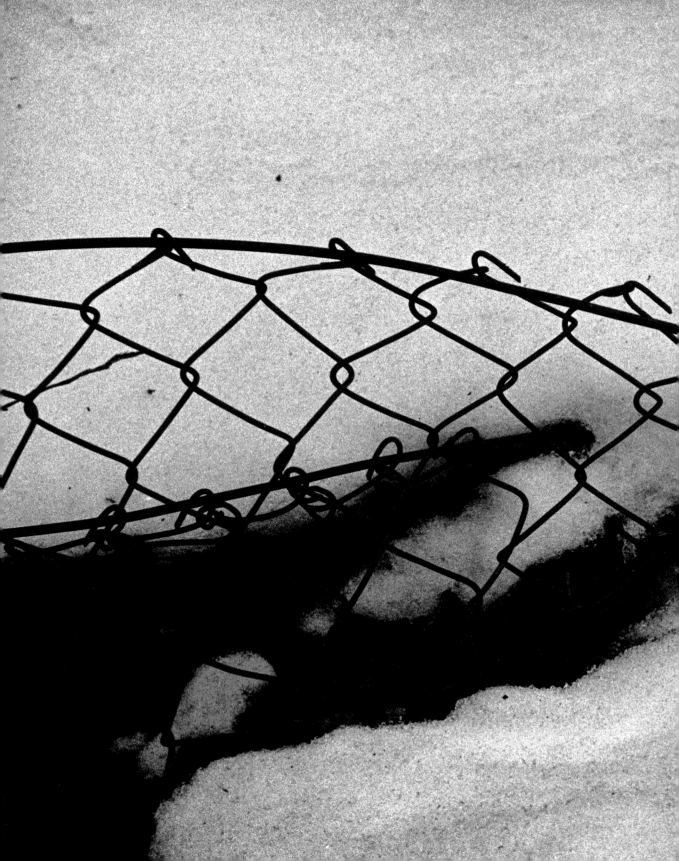

Herrgårdens nyrenoverade mangårdsbyggnad
påstås vara för dyr att bo i

                                        snart står den tom

Angelica och Raymond
flyttas till F-huset i Skarpnäck
till ett annat lika trångt rum

                    man vill helst dela på dem

                    staden saknar
                    boende för gifta

                                        påstår man

Tisdag
F-huset
Raymond knappt kontaktbar
  kort andning hög feber

        Ring efter ambulans!
Personalen vägrar
  "Vi får inte"
  "Doktorn kommer på torsdagar"

Angelica är ängslig
  "Han har legat så i flera dagar"
        Trots påtryckningar
  kommer ambulansen först nästa dag

  Raymonds sjukhusvistelse blir lång

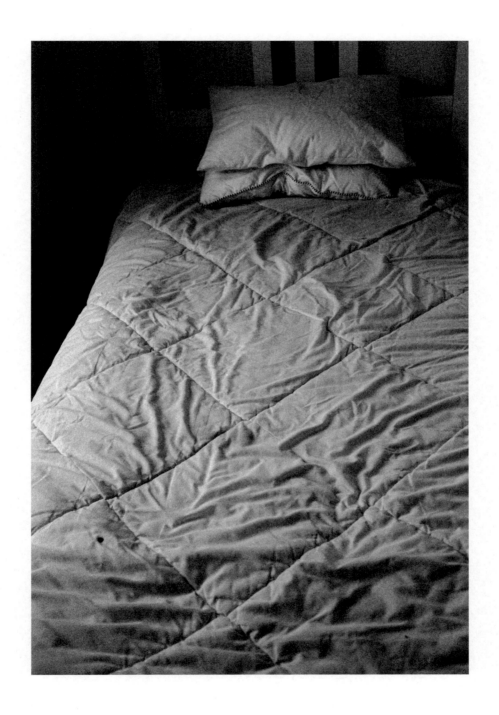

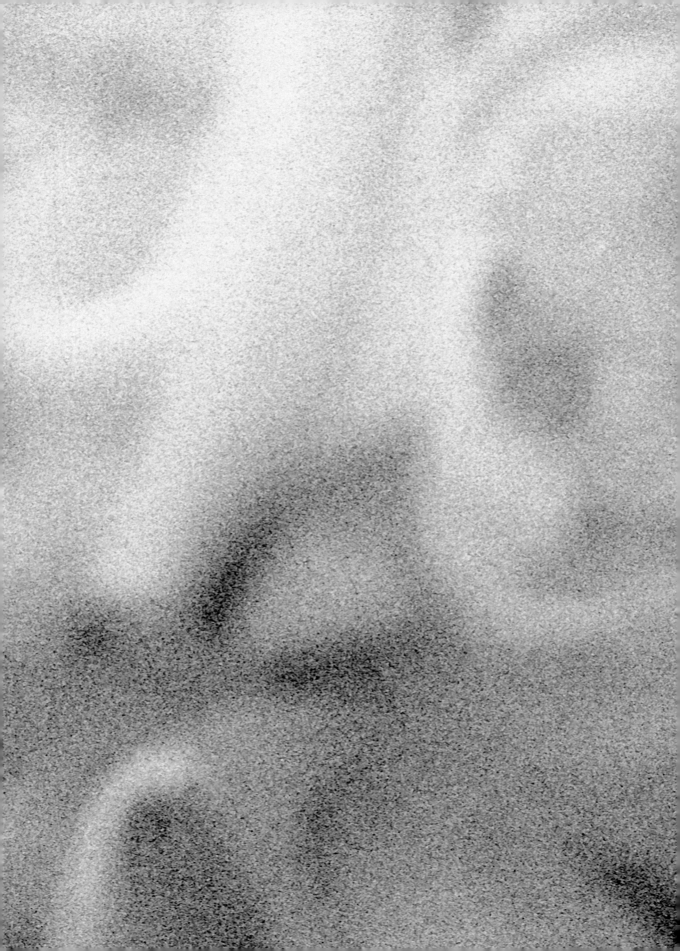

Nu gläds hon åt kvällen
    får av vänner nya kläder

    nya byxor
            istället för de fläckiga
            som luktar så

    och ny jacka med fuskpäls på kragen

    bio med syskonen
    med sonen

            det blir inte så

Angelica
behöver hjälp dagligen

        med sin mun

en stank
en kväljande odör
      svår för alla att uthärda

närboende i korridoren klagar

      man åtgärdar luften – med en doftgran

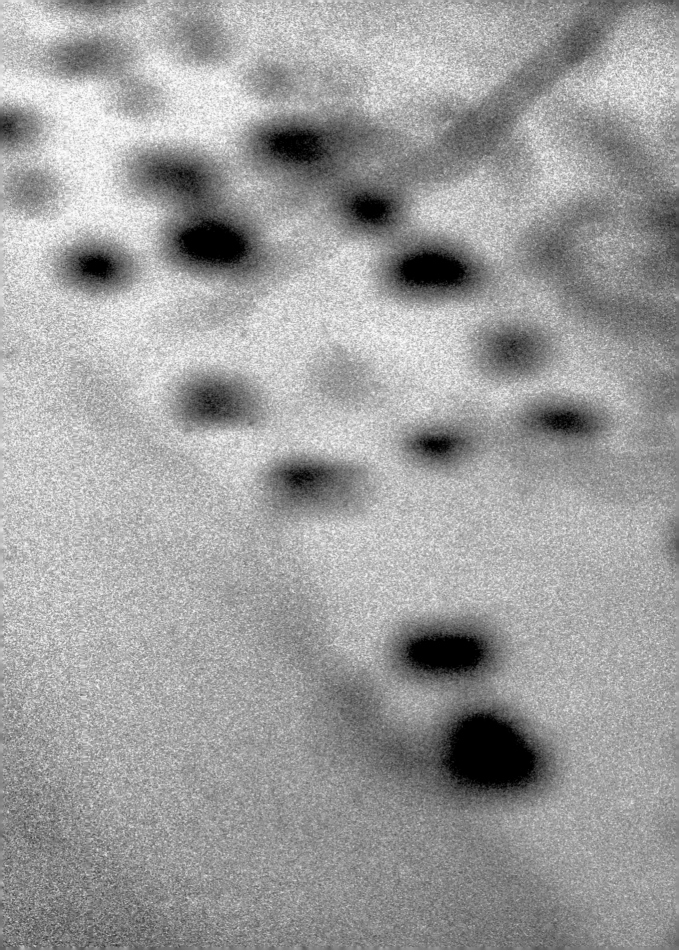

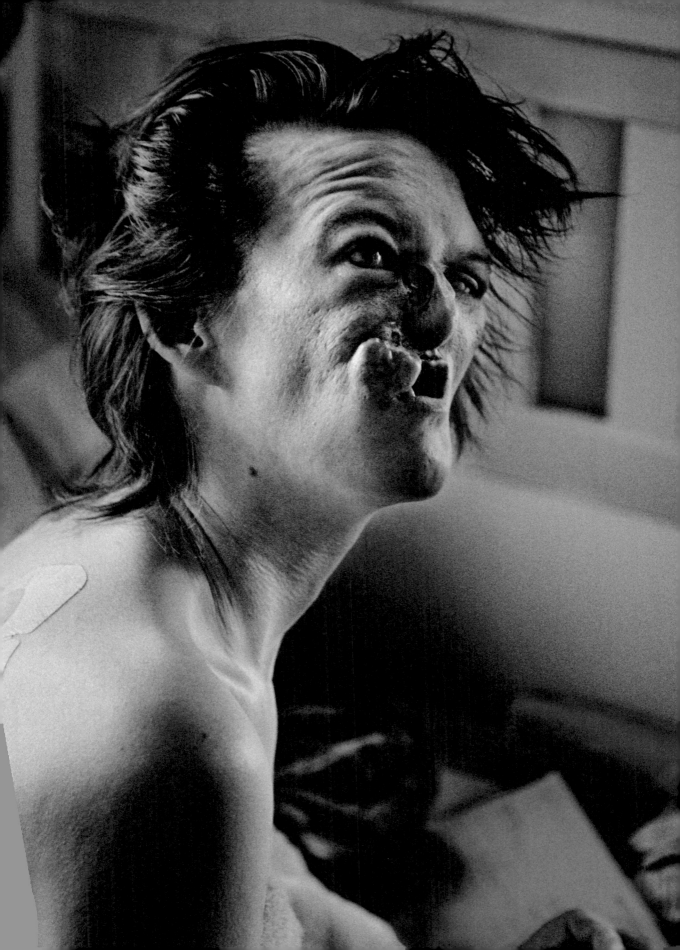

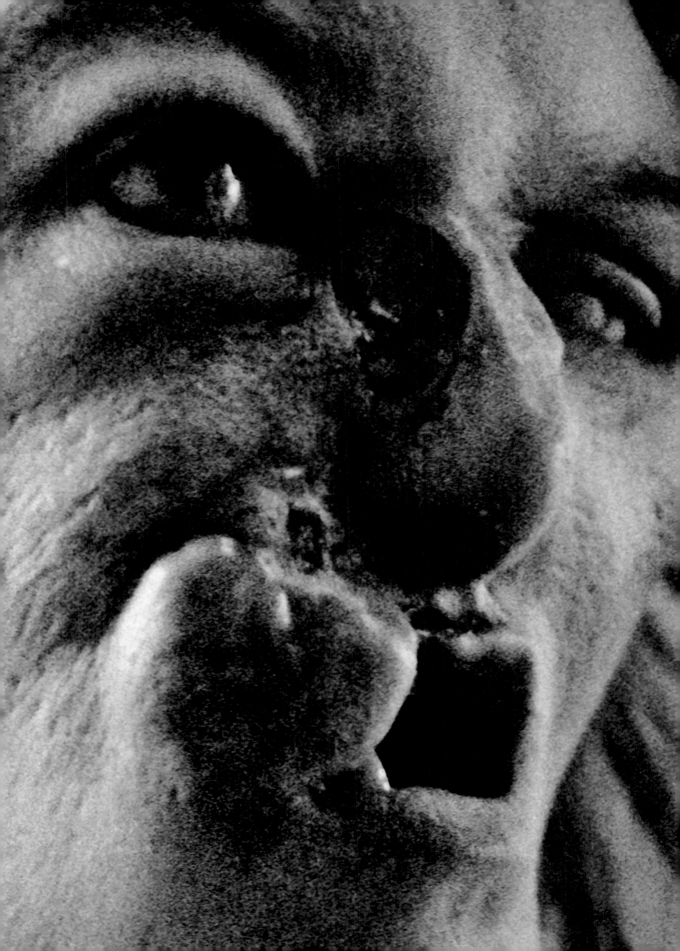

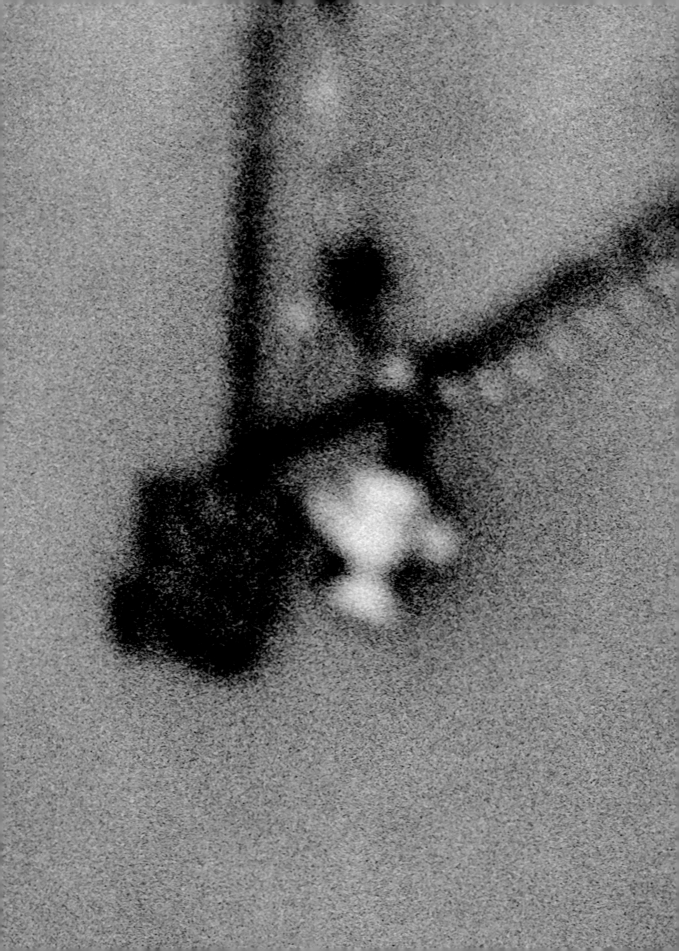

Södersjukhuset rengör Angelicas mun

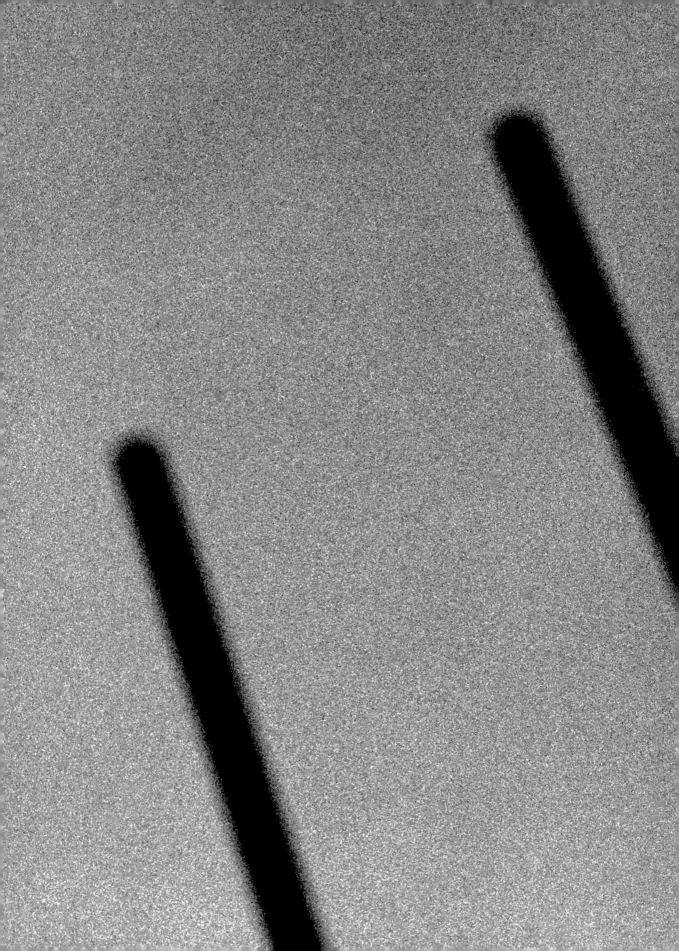

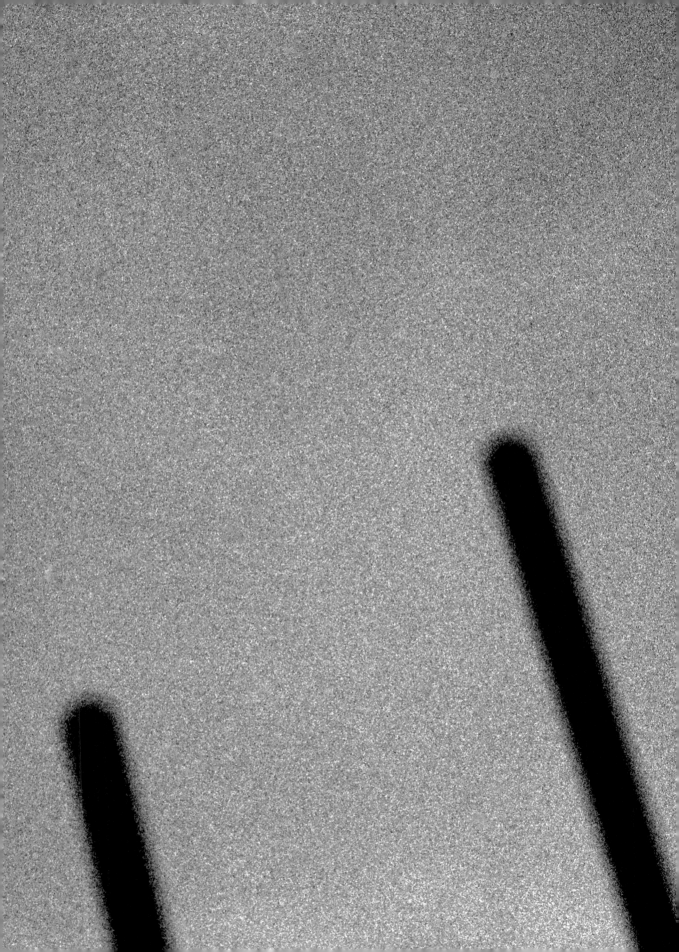

Angelica vill dölja sitt ansikte

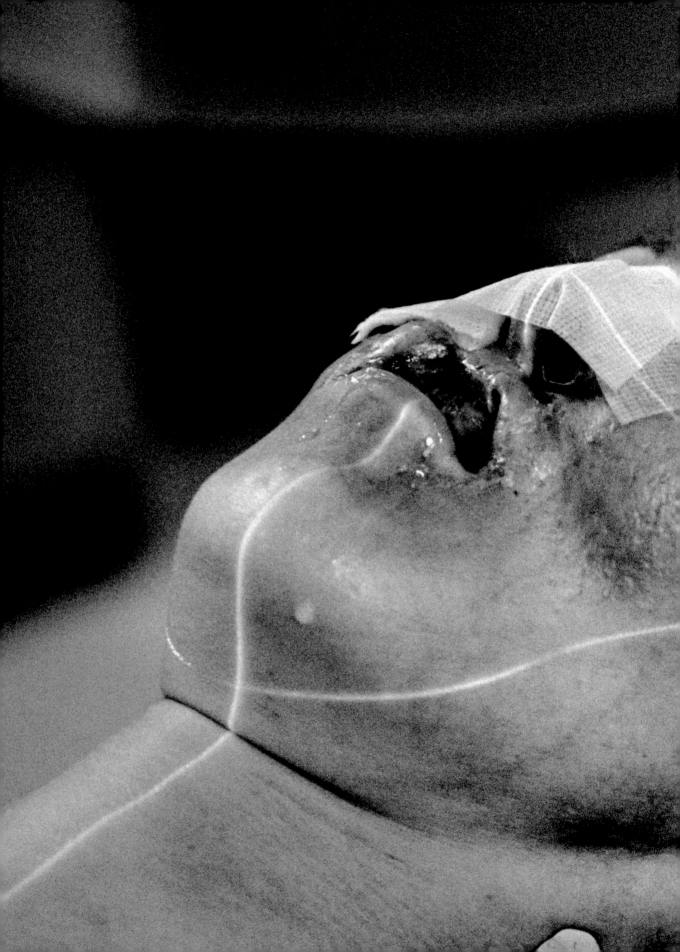

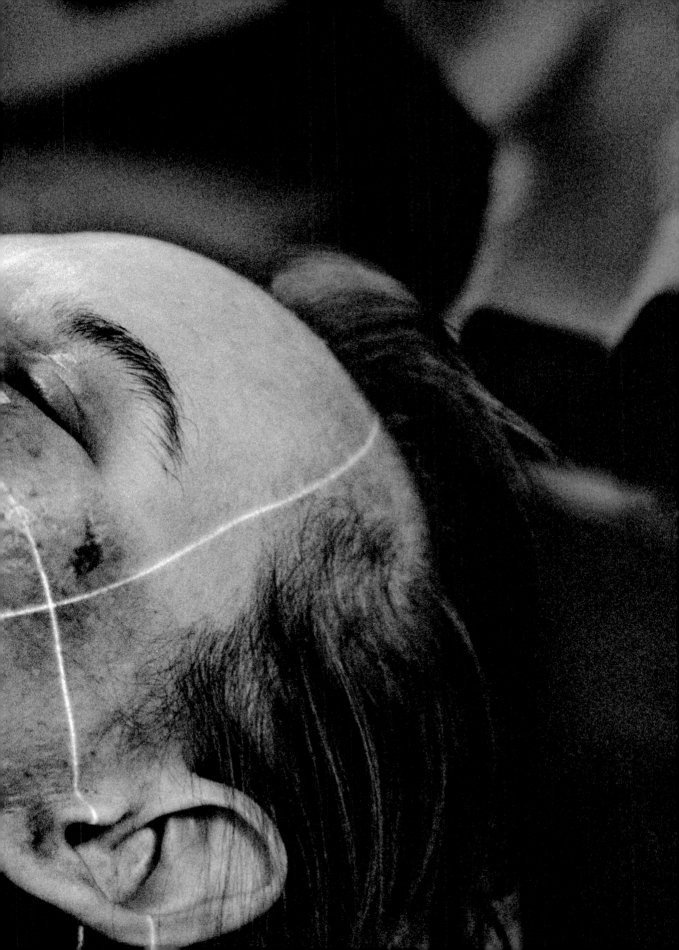

Man strålar Angelica
2015
med låga doser
i flera veckor

tumören krymper

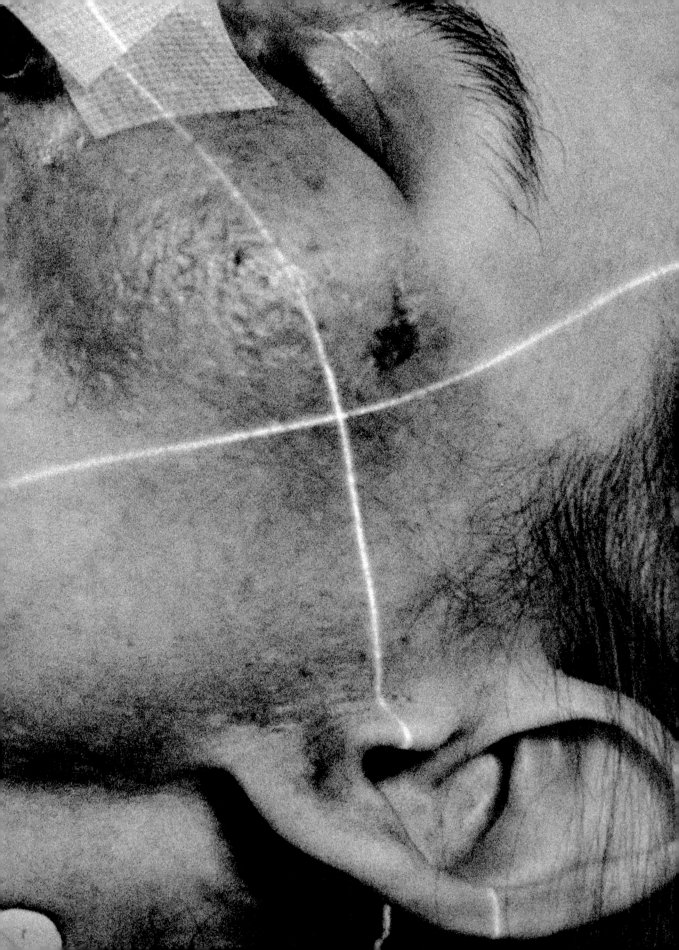

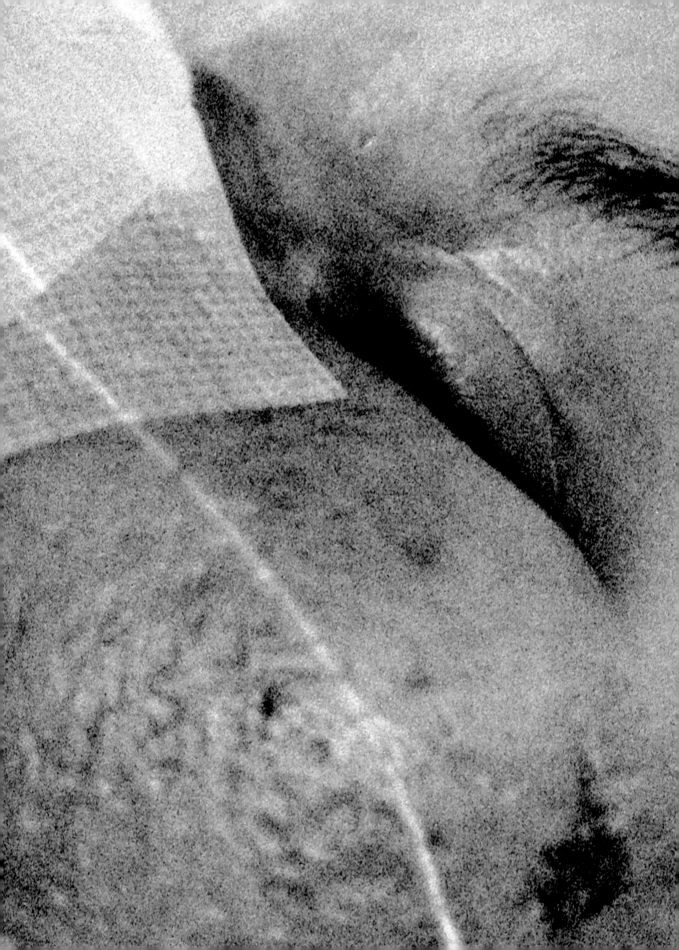

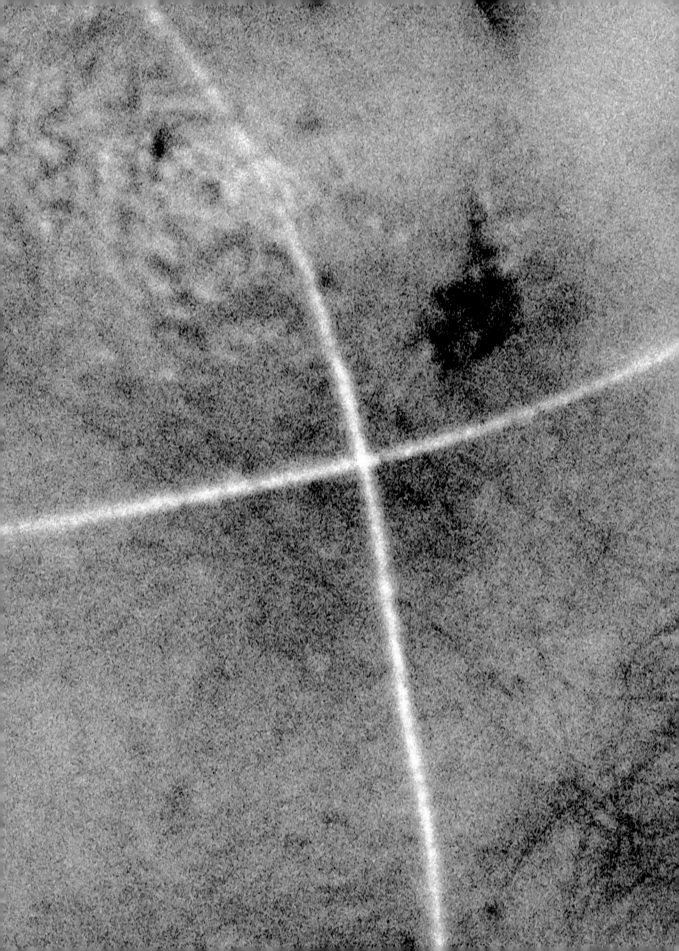

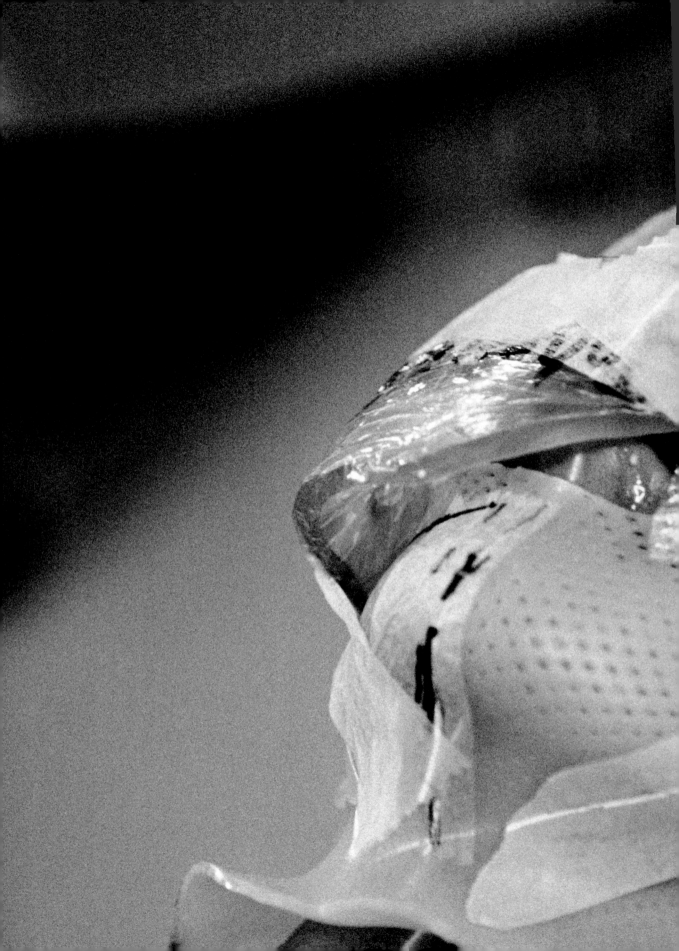

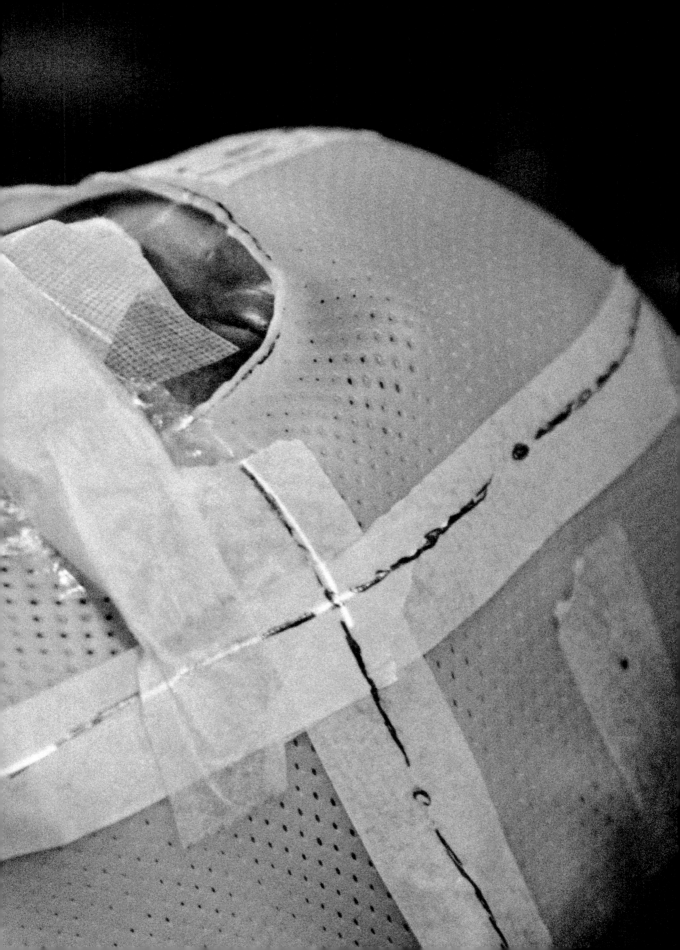

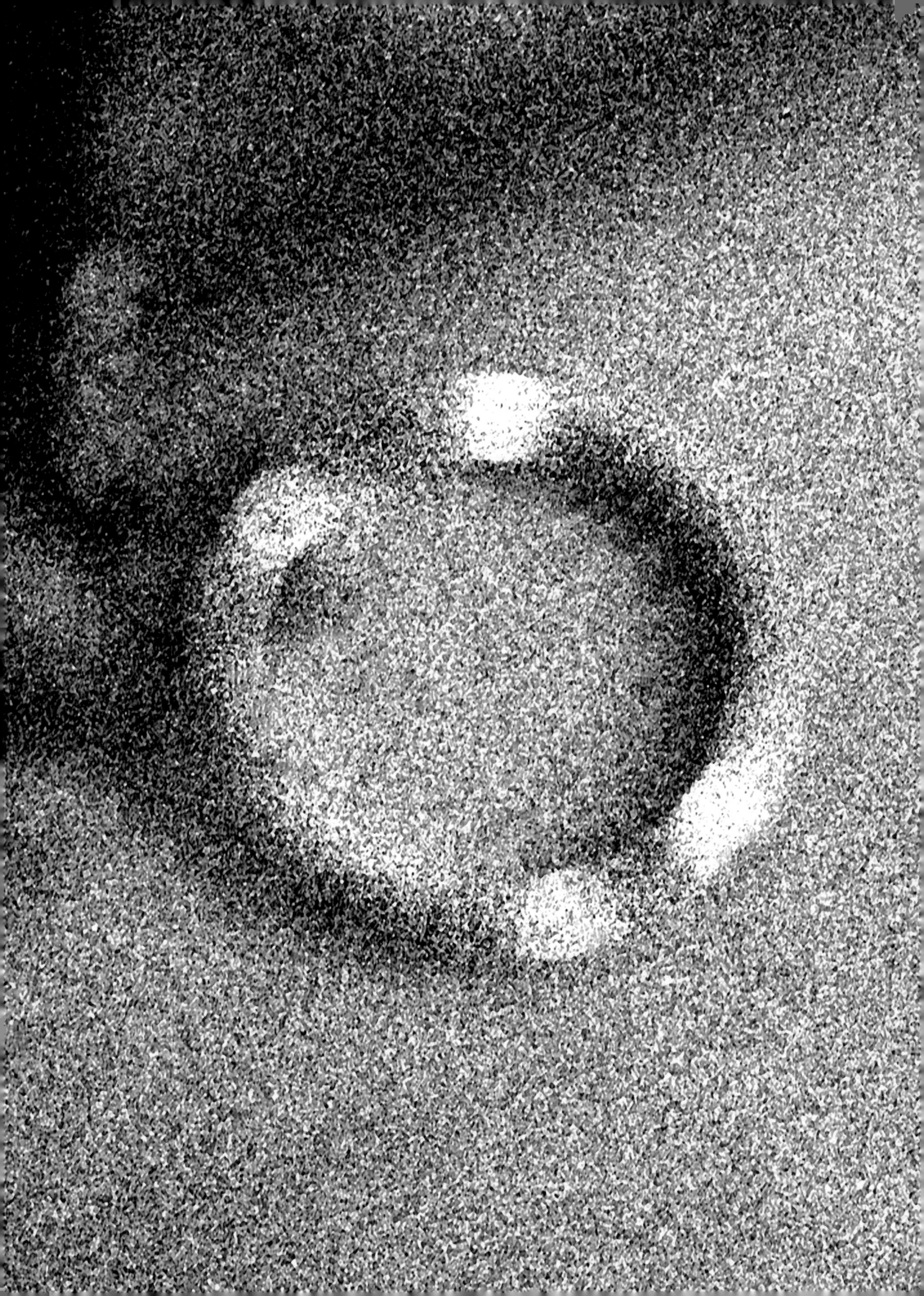

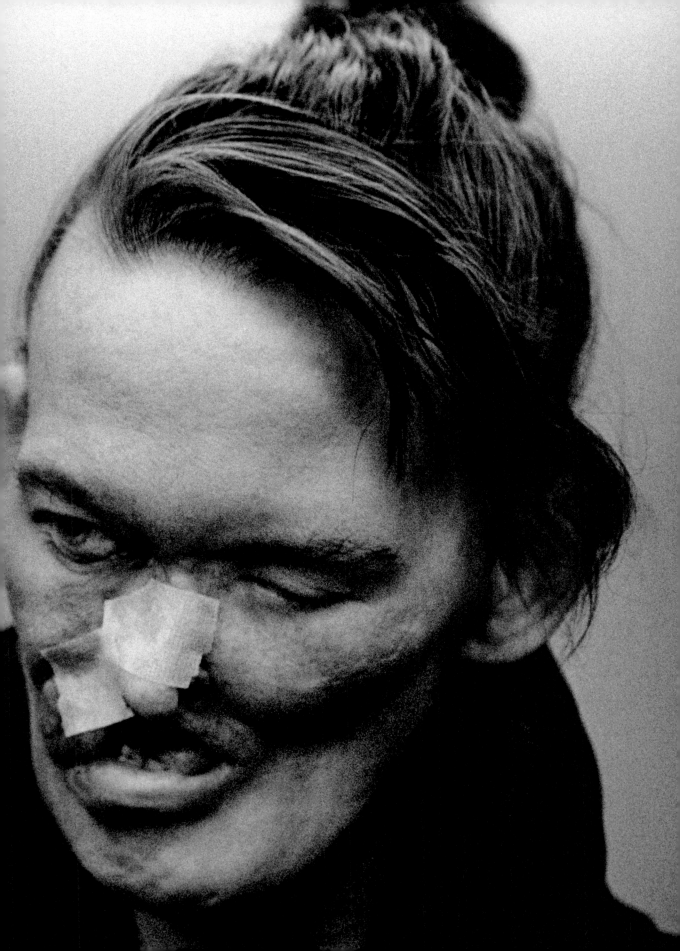

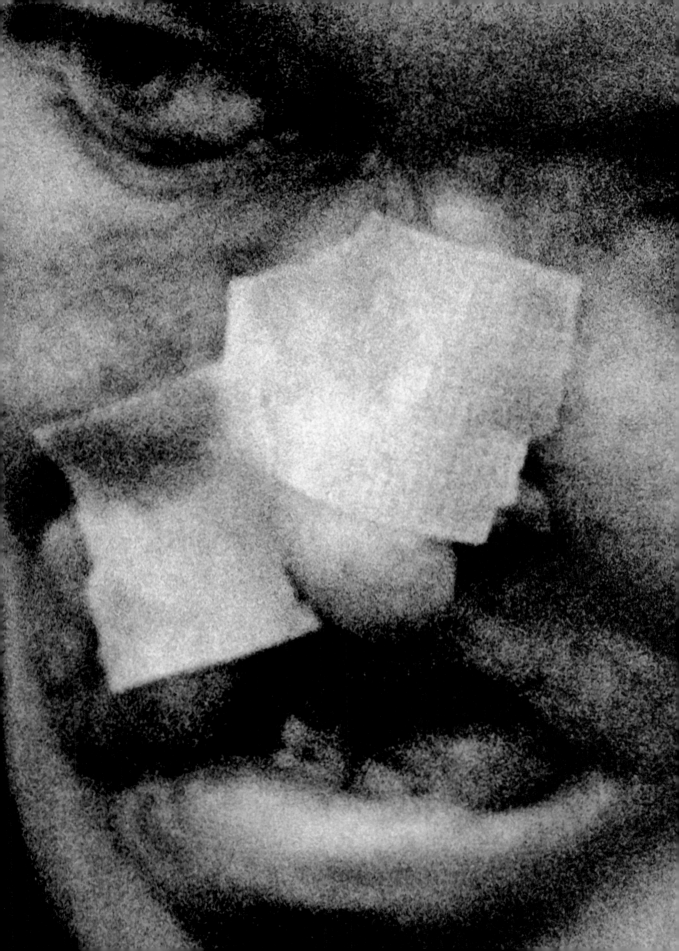

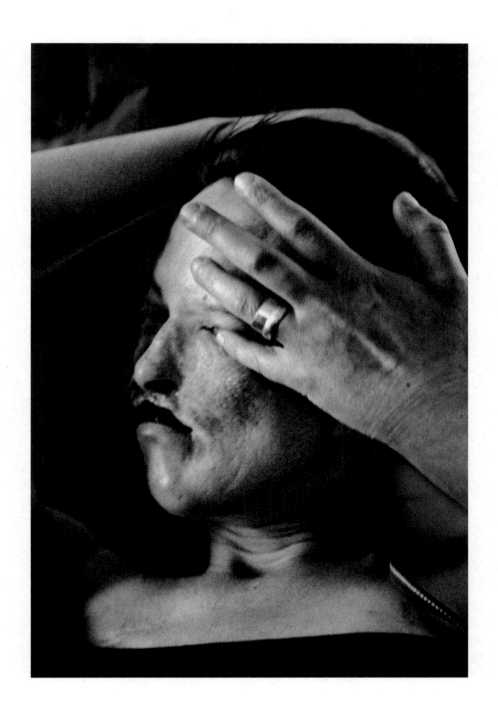

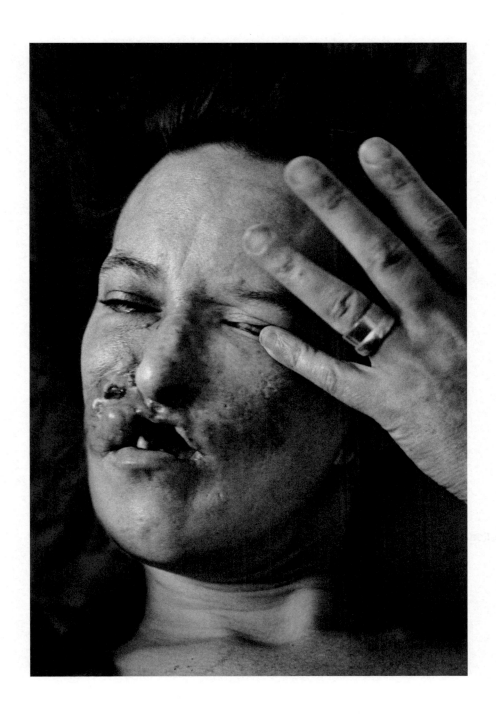

Angelica går sällan ut

"Folk glor så förbannat"

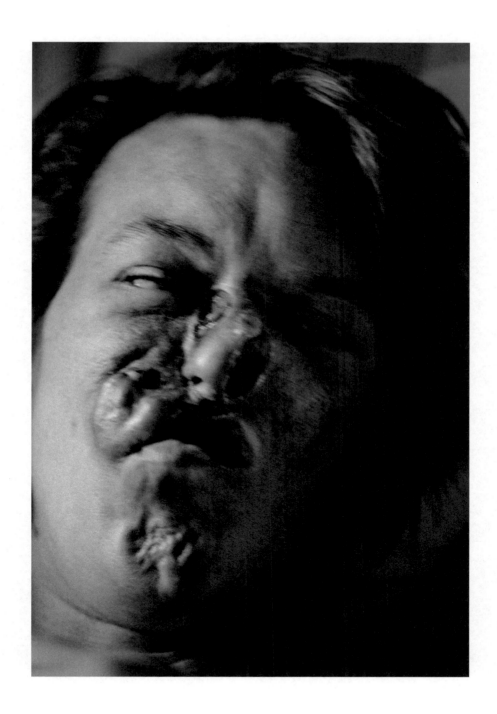

"Angelica kan inte beviljas sjukpension
– hon har ingen diagnos"

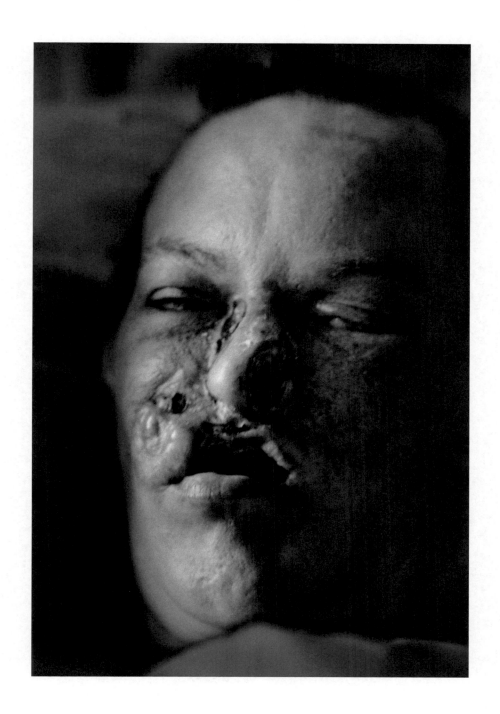

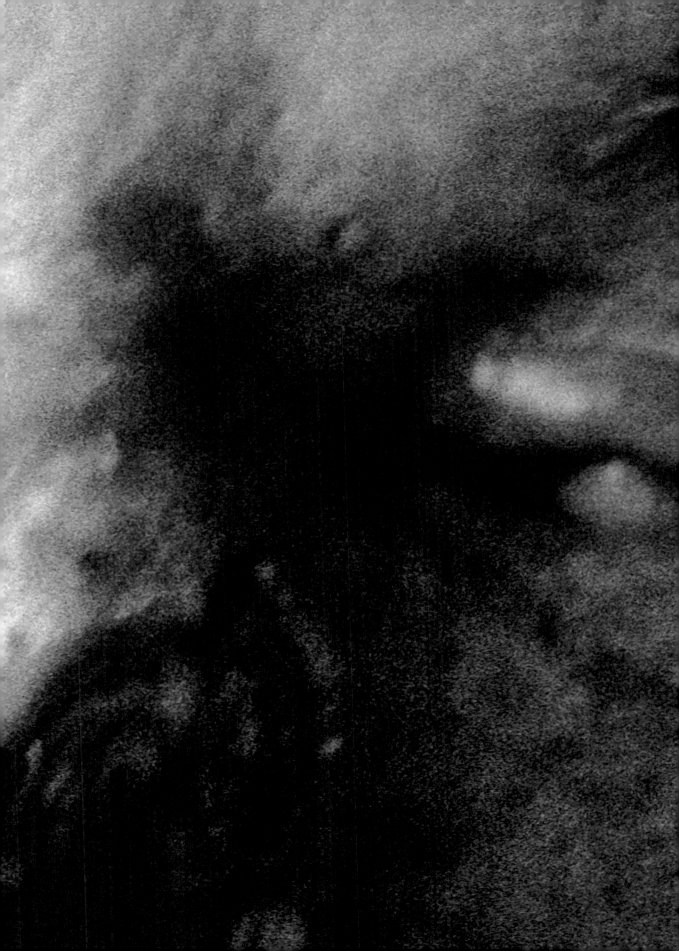

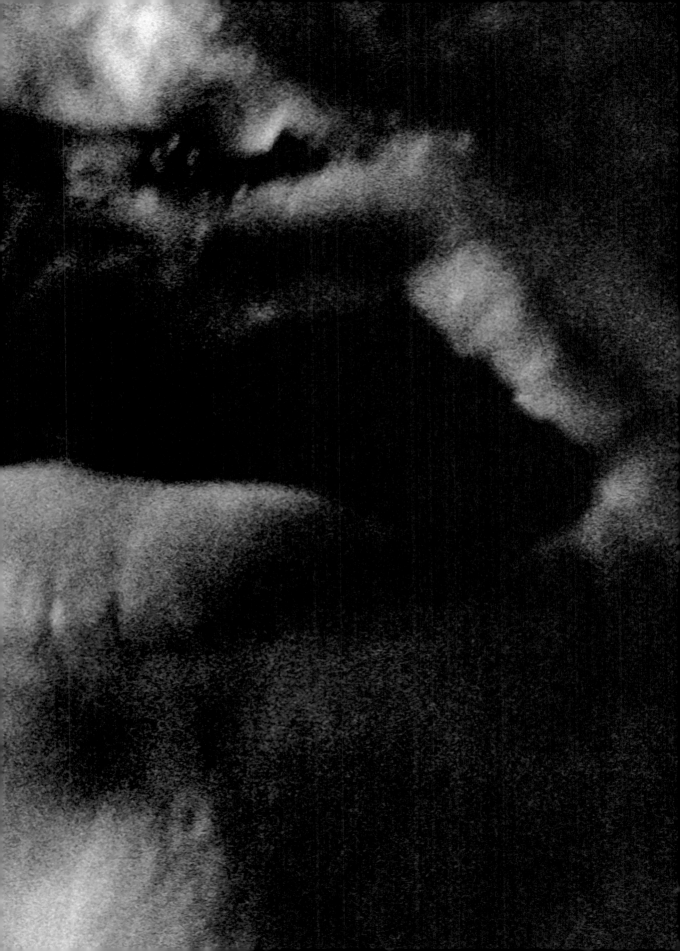

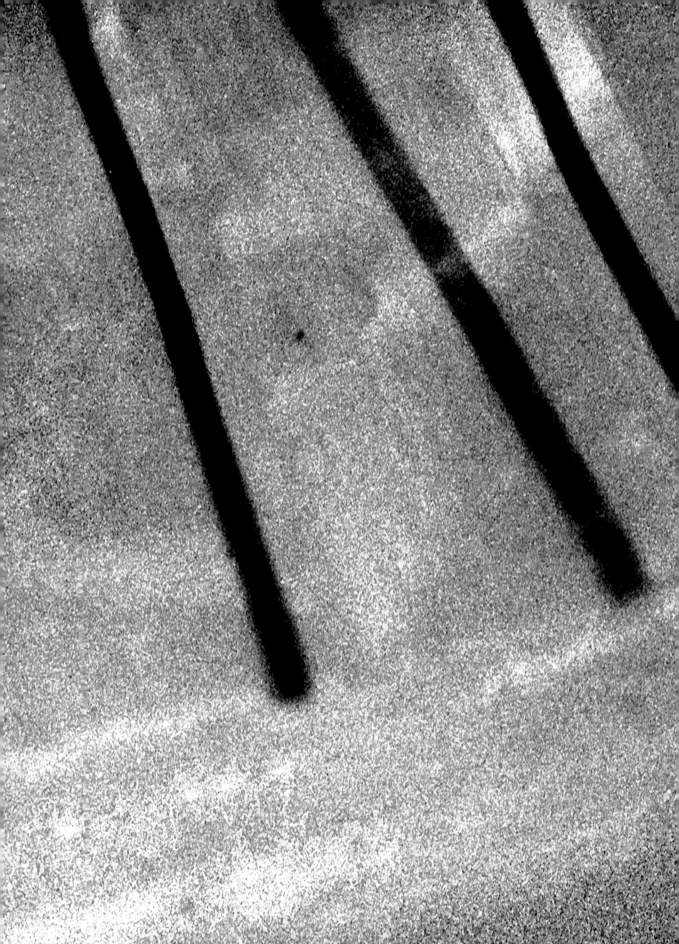

Förhållandena är alltid lika
men hon måste ansöka och fylla i
samma uppgifter

       varje månad
       år efter år
              formulär på tre sidor
       försening ger avslag, litet fel likaså

       det händer ofta

assistenten hjälper Angelica
       hon fyller i

           Angelicas sista ansökan – som avslås

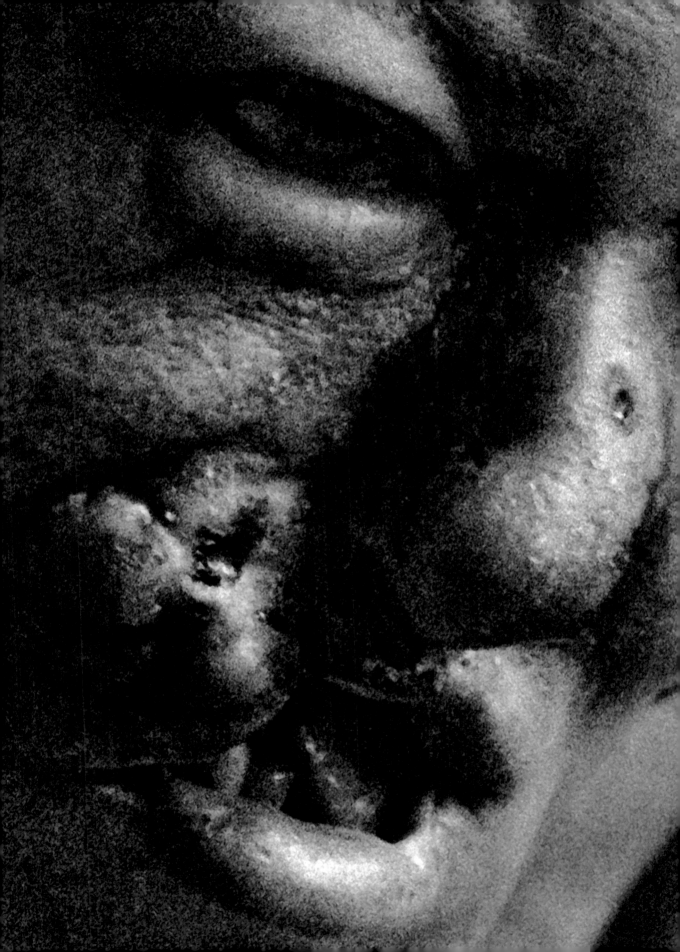

Golvet täckt av kläder
matrester frukt skräp
avföring på elementet

fläckar
kroppsvätskor

tillsynen är obefintlig

staden betalar Riskkapitalet
för misär

och vanvård

vänner upprörs

efter kontakt med Stockholms Stad
ordnas två små rum med toalett

utan dörr

Ingen öppnar när man knackar
paret ligger tungt sovande i sina sängar

utan lakan
på madrasser

klädda med gummi

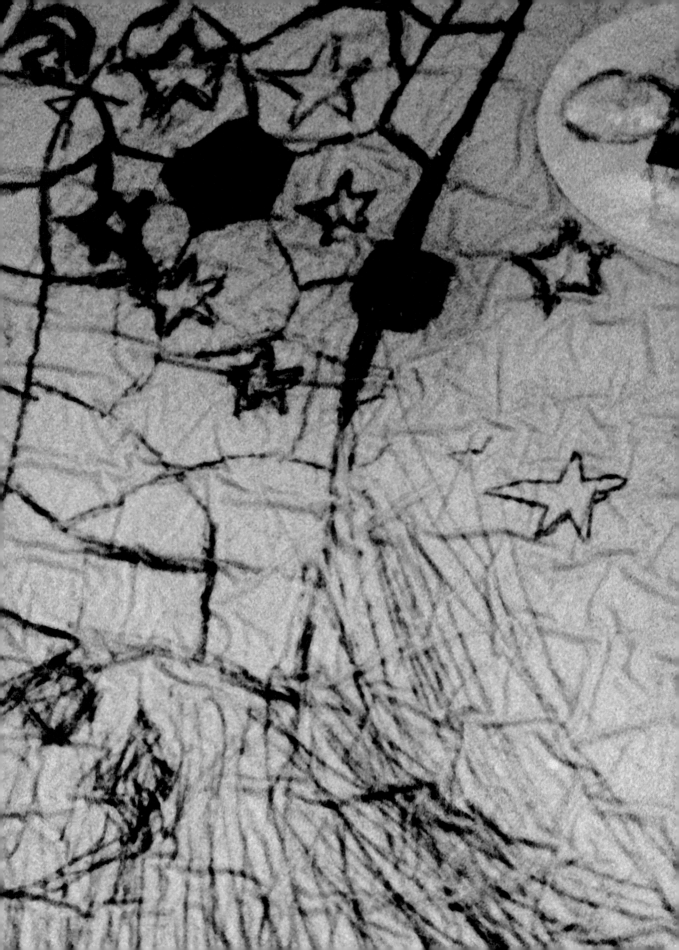

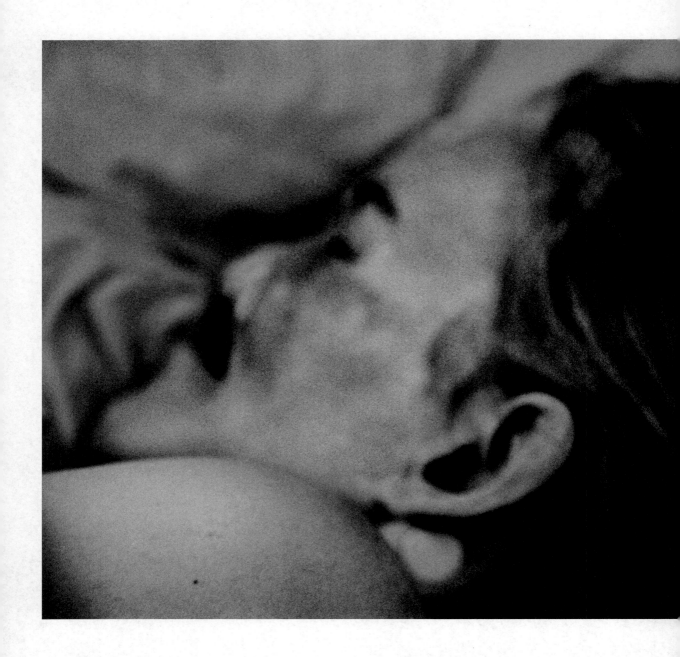

Söndag

Angelica i sängen

nästan medvetslös

tre dygn utan mat
tre dygn utan dryck

Riskkapitalet passivt
utan initiativ
transport till sjukhus

beställs av vänner

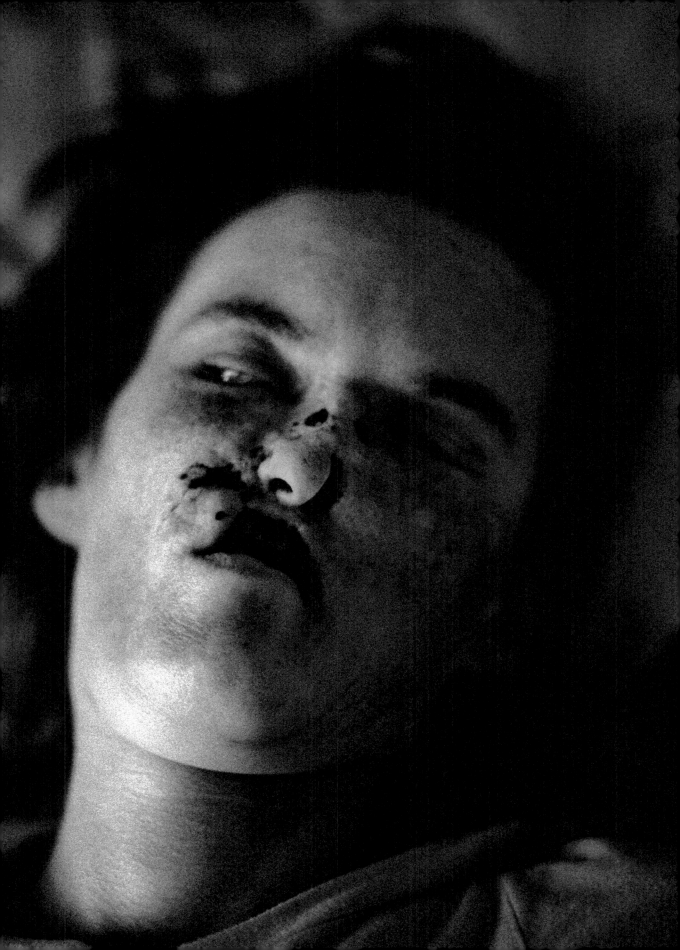

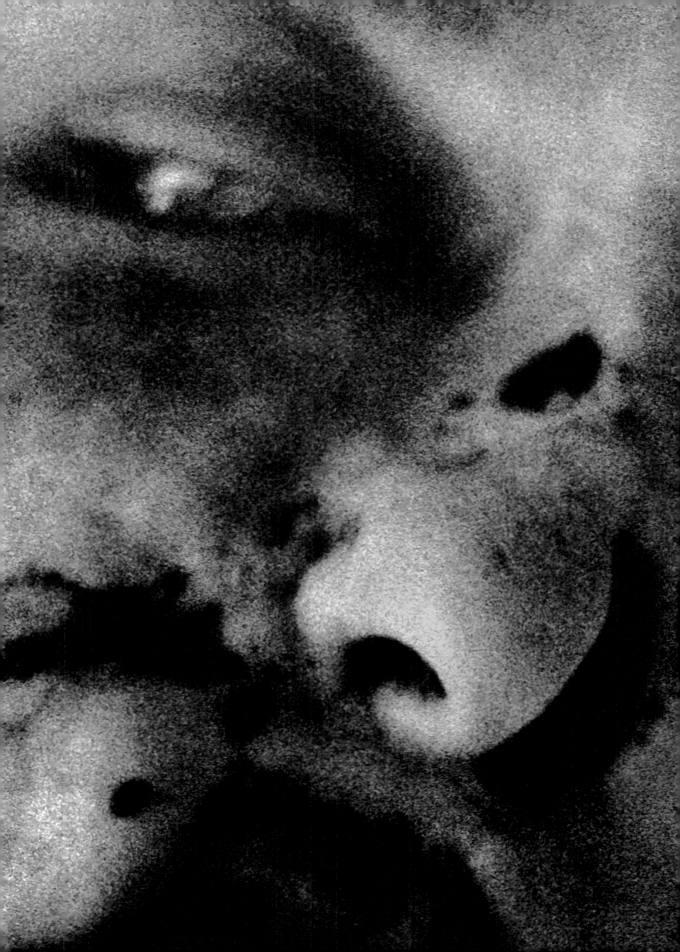

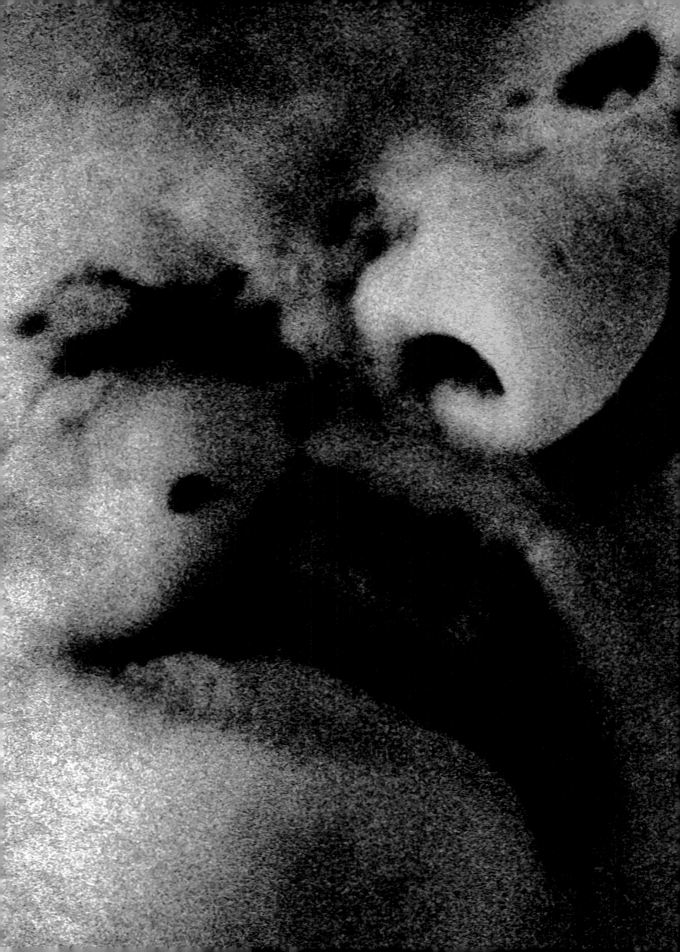

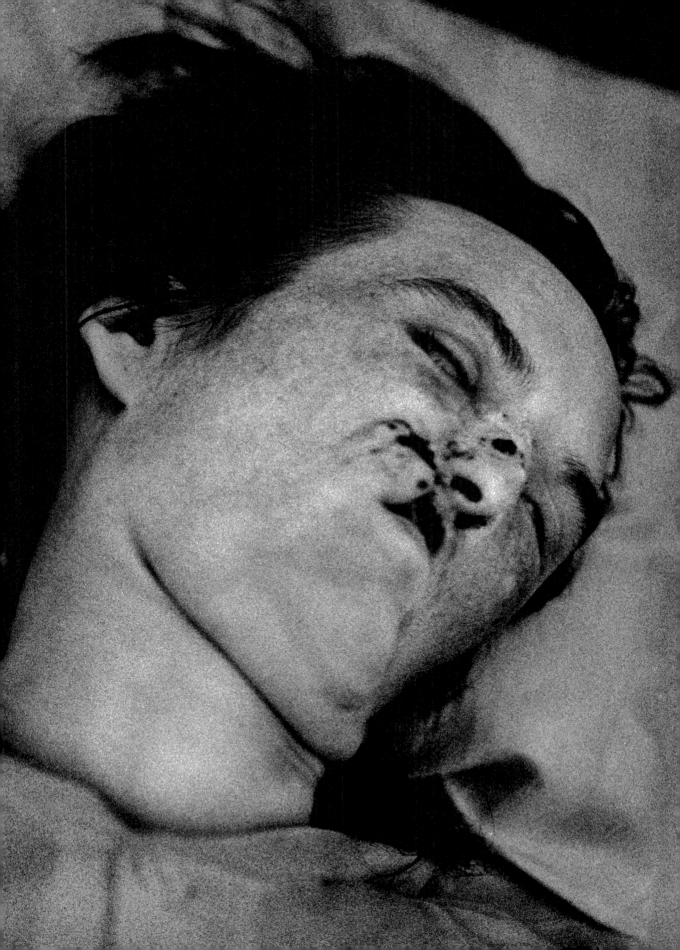

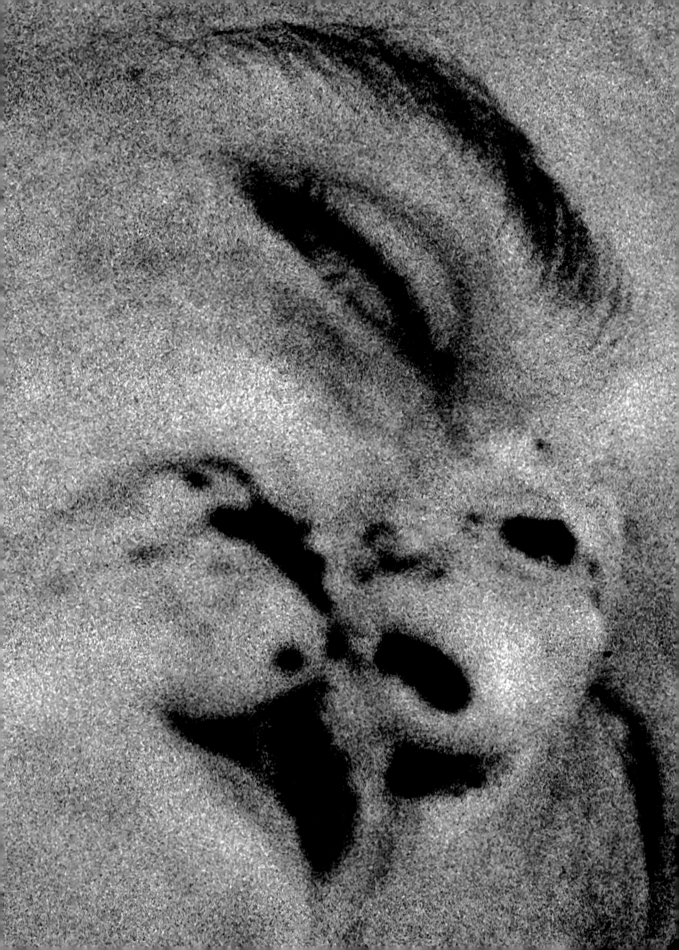

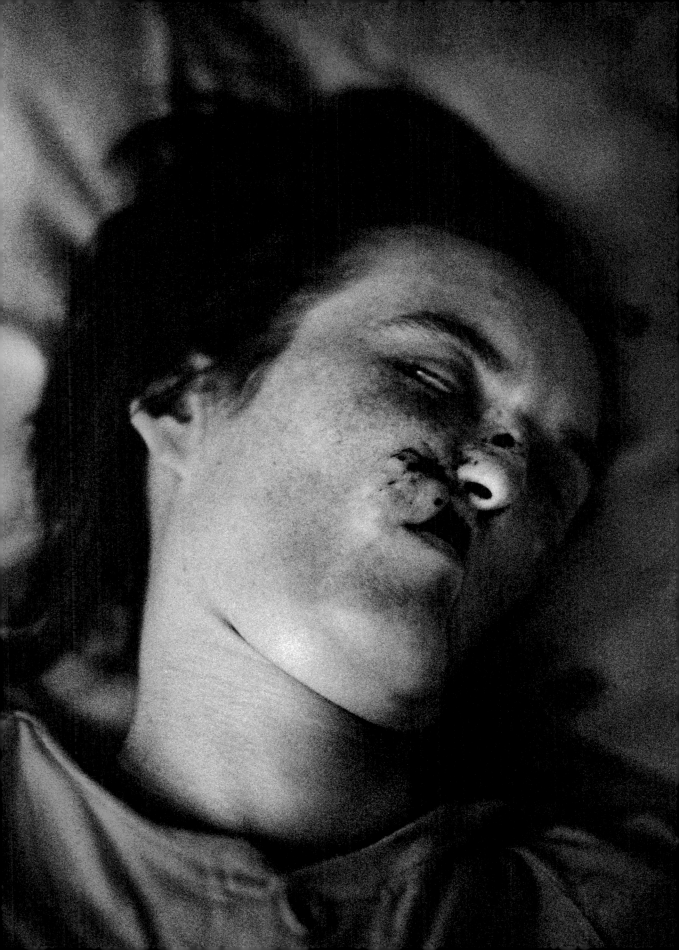

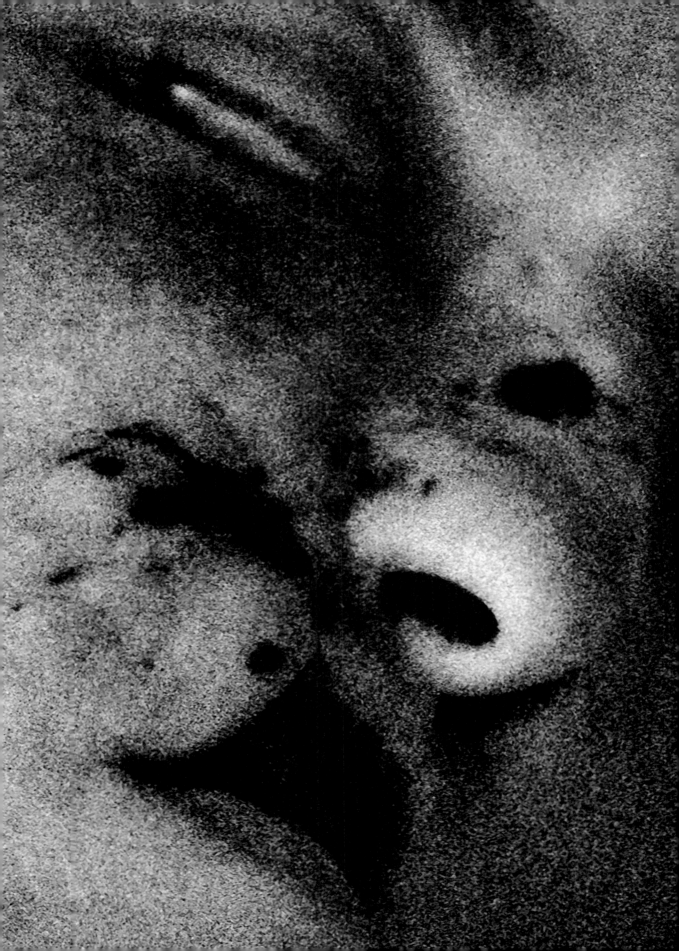

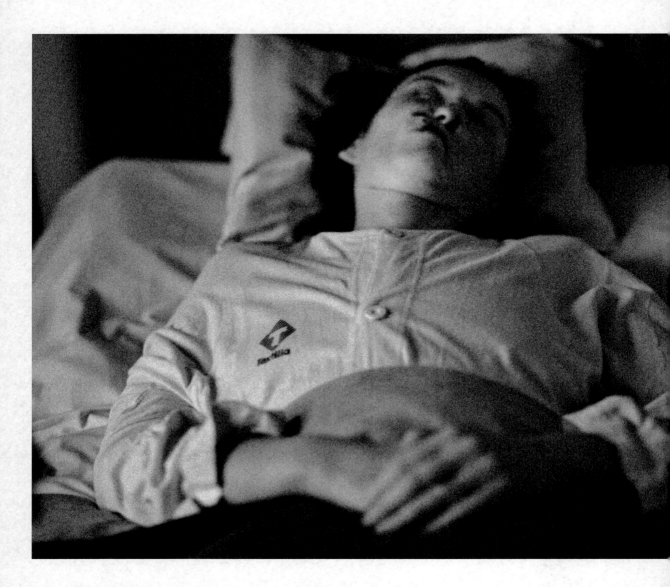

Angelica dör

på Nacka sjukhus
den 27 januari 2016

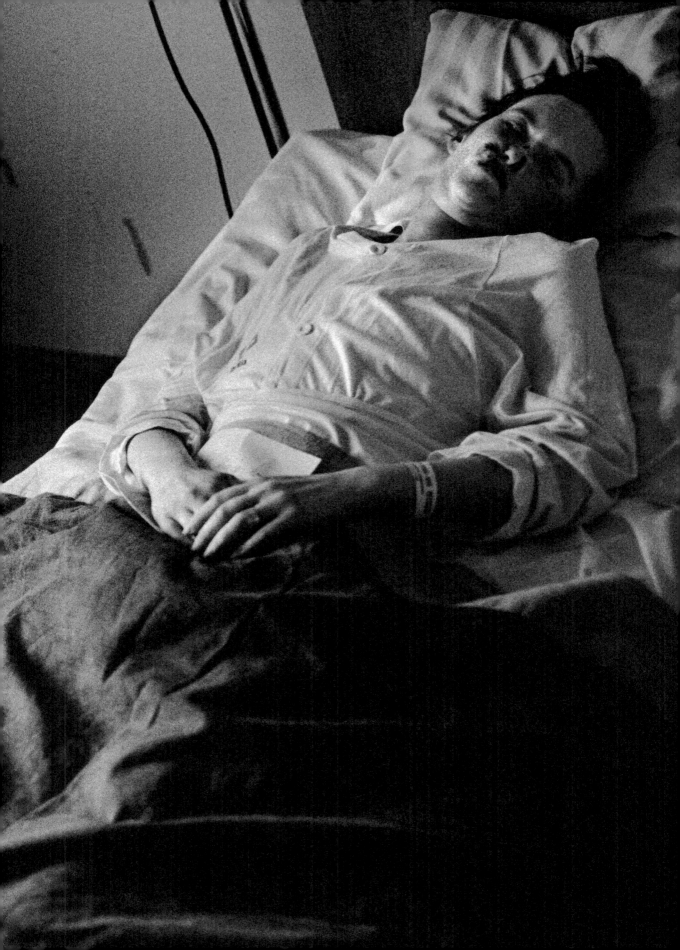

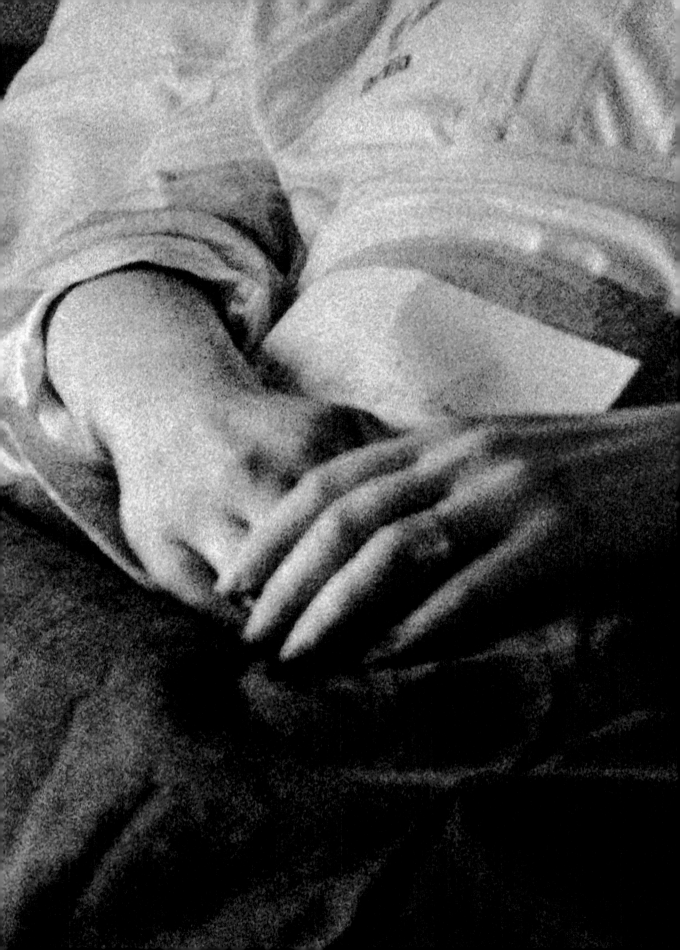

Gustavsbergs kyrka
4 mars

        begravning

        prästen –
        "Vi tackar Gud för vad han gav Angelica"

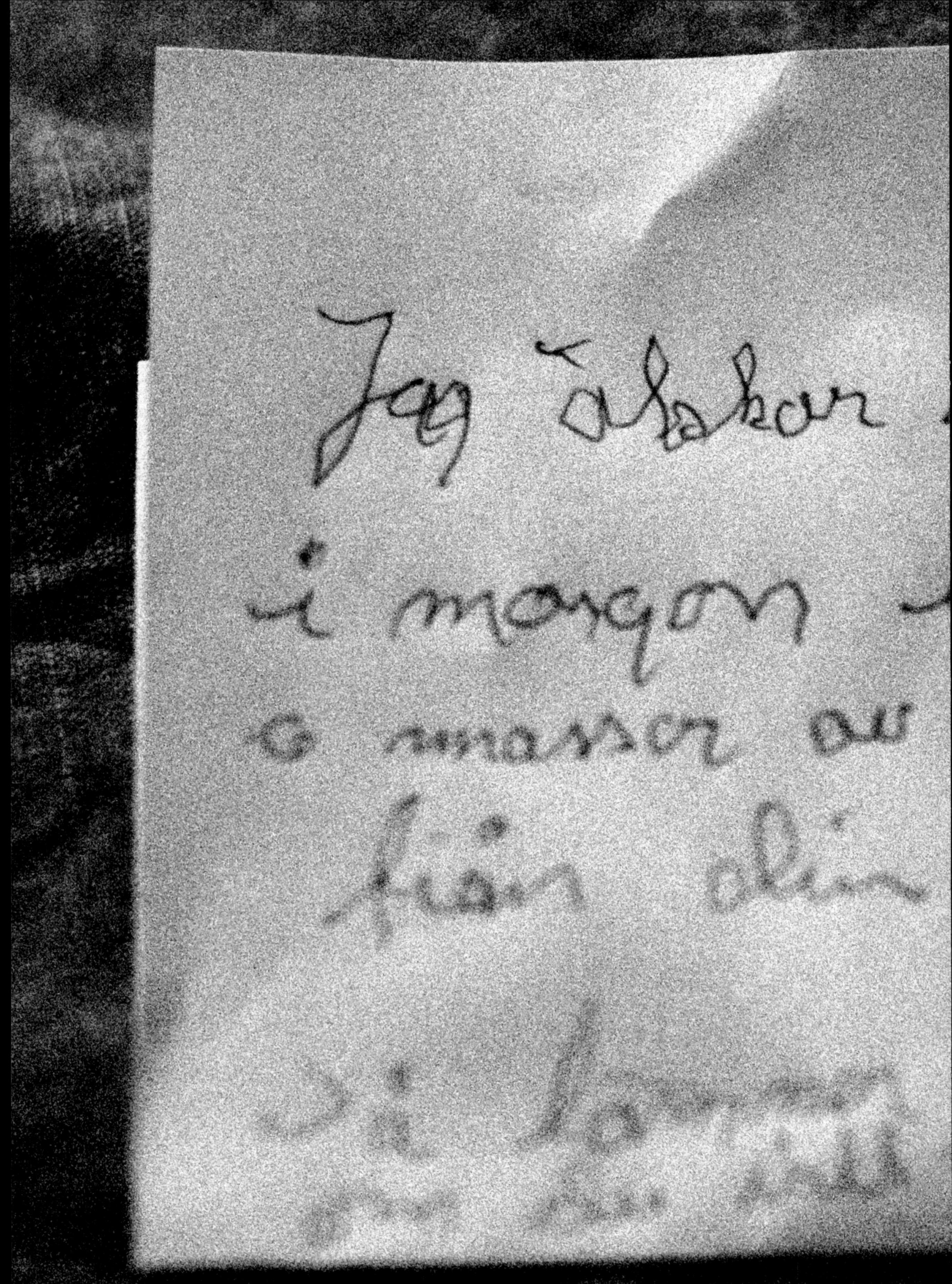
Jag älskar
i morgon
massor av
från

...ig jag kommer

...en kärlek

...komma

...make

100

dig jag komme

igen kärlek

kammar

mehe

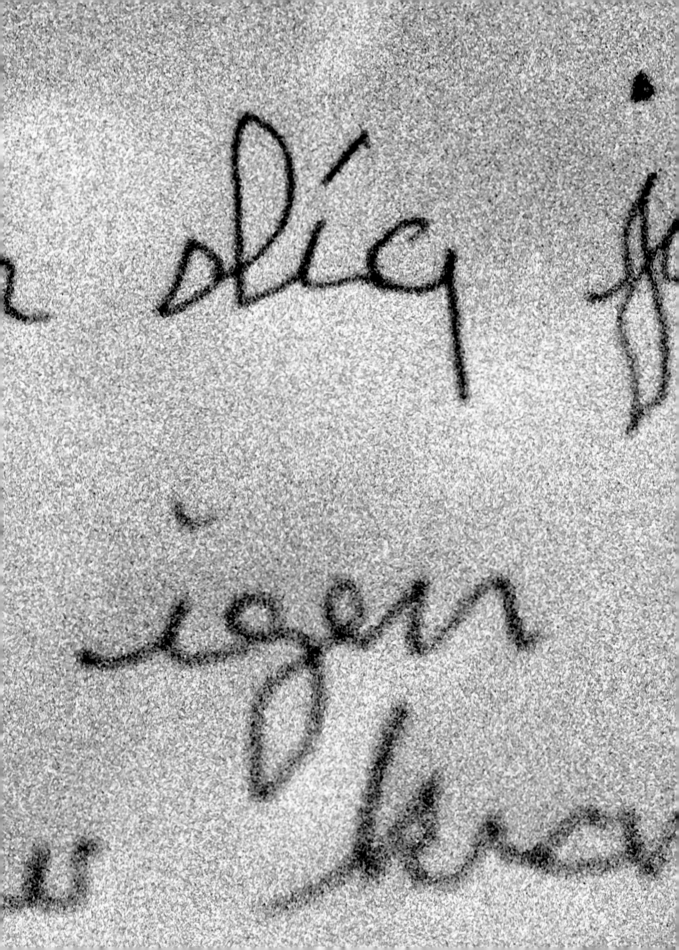

Angelica älskade djur
hon hade hundar som barn

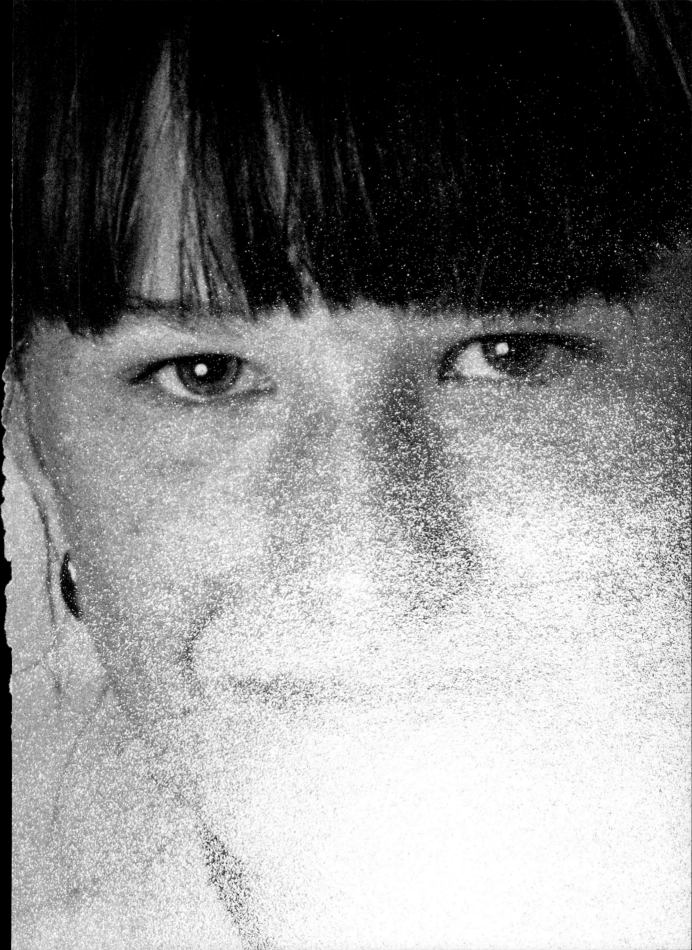

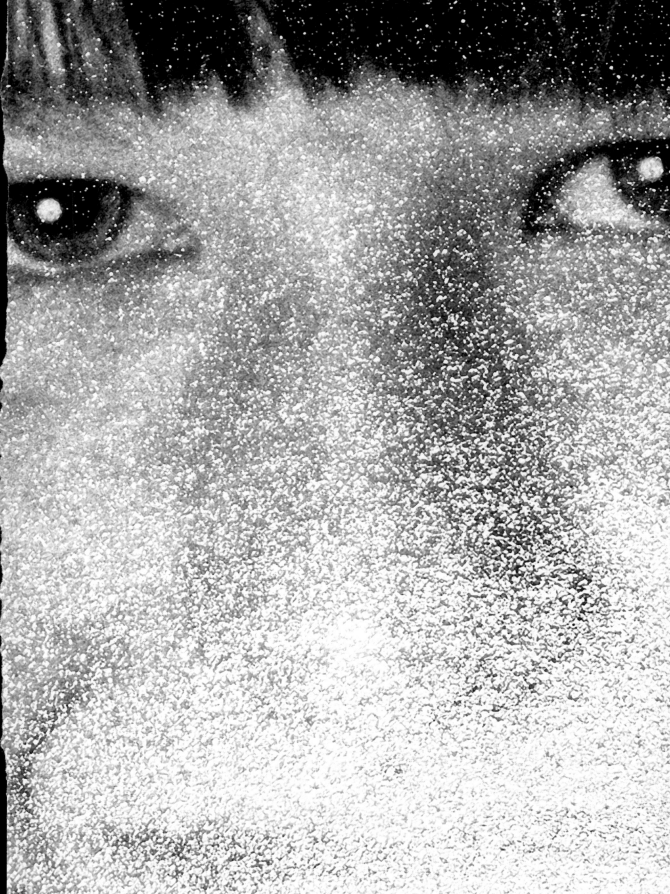

Jag heter Anders Schönborg. Jag är snart 72 år och har aldrig gett ut någon bok eller skrivit några texter som publicerats. Jag är utbildad byggnadstekniker, har varit kobonde med ekologisk mjölkproduktion och en av pionjärerna inom den svenska vindkraftens utbyggnad. Miljöfrågor har alltid engagerat mig. Liksom existentiella frågor.

Jag började fotografera på äldre dar och under en kurs på Fotografiska i Stockholm i juli 2013 påbörjade jag arbetet med det material av bilder och beledsagande texter som nu finns färdigt under titeln "Liv utan liv", bearbetat och formgivet av Greger Ulf Nilson.

Under några sommardagar hade jag lyssnat till berättelser och fotograferat bland utslagna människor på "kyrkbänkarna" vid den öppna platsen intill Vantörs kyrka i Högdalen. Innan jag tog fram min kamera hade jag berättat för flera varför jag ville fotografera, att syftet var att skildra hur det var att leva det liv som alkoholister och drogberoende var hänvisade till. Då uppmanade man mig entusiastiskt: "Skriv en bok, skriv i tidningen och berätta hur vi lever och hur vi har det."

En kvinna, Angelica, rörde sig i utkanten av kretsen, som mest bestod av män. På flera sätt dolde hon skickligt sitt ansikte så mycket som möjligt, men så småningom kom hon nära och när hennes långa hår föll undan blottades ett ansikte svårt vanställt av cancer och operationer. Efter ett par dagar öppnade hon sig för mig och berättade om det som hände henne när hon var sju år. Jag blev starkt berörd av vad jag fick höra och sammanställde ett kortare bildspel. Överallt där jag visade bilderna blev reaktionerna mycket starka och jag beslöt mig för att följa upp och fortsätta att ta del av Angelicas liv.

Fram till Angelicas död 2016 följde jag med min kamera Angelica och hennes man Raymond, många gånger besökte jag dem varje vecka. Jag följde med Angelica till tandläkare, cellgiftbehandlingar och strålning. Jag träffade assistenter och beslutsfattande personer av olika rang. Jag deltog i planeringsmöten och försökte på olika sätt ta tillvara Angelicas rättigheter. Det jag fick uppleva var omskakande och upprörande på många olika sätt.

Jag hade aldrig kunnat föreställa mig ett samhälle som ena stunden ger den bästa tänkbara vård en människa kan få – för att nästa stund visa en cynisk, människoförnedrande och omänsklig attityd. Jag kunde inte tro att ett samhälle som vill kalla sig civiliserat skulle kunna uppvisa sådan kyla, råhet och visa på ett så tydligt människoförakt.

Anders Schönborg
Borgunda Hjälsbo, Stenstorp

Redaktör:	Greger Ulf Nilson
Formgivning:	Greger Ulf Nilson
Assistent:	Teitur Ardal Rosengren
Repro:	Erhan Can Akbulut
Tryck:	Göteborgstryckeriet, 2018

© Fotografier: Anders Schönborg, 2018
© Text: Anders Schönborg, 2018
© För denna utgåva: Art and Theory Publishing, 2018

Boken är producerad med bidrag från
Stiftelsen Längmanska kulturfonden.

ISBN   978-91-88031-63-1

Utgiven av: Art and Theory Publishing
                     Erstagatan 26
                     SE-116 36 Stockholm
                     www.artandtheory.org

Ett varmt tack till: Angelica, för att du orkade berätta och
                         låta dig fotograferas trots allt du hade att kämpa mot.
                         Halil Koyutürk och Anders Petersen för ert
                         engagemang och era värdefulla råd.
                         Erhan Can Akbulut, för din bildhantering.
                         Raymond, Angelicas man, för ditt tålamod.
                         Angelicas vänner och syskon.
                         Personal som berättat men, av rädsla för repressalier,
                         inte vågat framträda med namn.
                         All sjukhuspersonal som alltid behandlat och
                         bemött Angelica professionellt och kärleksfullt.
                         Min familj och mina vänner som visat intresse och
                         stöttat mig under de år jag följt Angelica.

Femton procent av intäkterna skänks oavkortat till välgörenhet.

Art and Theory
Publishing